快乐汉语 ②

教师用书

编　者　李晓琪　罗青松　刘晓雨
　　　　　王淑红　宣　雅

人民教育出版社

教材项目规划小组

严美华 　姜明宝 　张少春

岑建君 　崔邦焱 　宋秋玲

赵国成 　宋永波 　郭　鹏

快乐汉语

教师用书

第二册

李晓琪　罗青松　刘晓雨　王淑红　宣　雅　编著

*

人民教育出版社出版发行

网址：http://www.pep.com.cn

北京人卫印刷厂印装　全国新华书店经销

*

开本：890 毫米×1 240 毫米　1/16　印张：10.75　字数：195 000

2003 年 11 月第 1 版　2005 年 12 月第 3 次印刷

印数：4 201 ~ 7 200

ISBN 7 - 107 - 17132 - 1

G · 10222（课）　定价：35.00 元

如发现印、装质量问题，影响阅读，请与出版科联系调换。

（联系地址：北京市海淀区中关村南大街 17 号院 1 号楼　邮编：100081）

编写说明

    本教材使用对象是以英语为母语的11-16岁中学生。全套教材分为三个等级（第一册、第二册和第三册），每个等级有课本（学生用书）和配套的教师用书，全套教材共六本。每册可使用一学年，参考学时为90-100学时，使用者可根据学生以及课堂教学具体情况进行调整。

    教材内容（话题、汉字、词语、语法项目、文化点等）和练习项目（听、说、读、写等各项语言技能训练）的设置参照了部分英语国家的中学汉语课程大纲和考试大纲，并根据基本交际的需要以及课堂教学的特点，进行了系统的调整与补充。

1 等级划分

1.1 基本分级
    第一册：汉字180个，生词171个，句型93个。
    第二册：汉字206个，生词203个，句型123个。
    第三册：汉字206个，生词280个，句型123个。

1.2 对等级划分的说明
1.2.1 以上等级划分中汉字数量是指达到认读要求的汉字，要求会写的汉字略少，约占认读总数的70-80%。

1.2.2 本着教材内容贴近学生生活，引起学生兴趣以及满足基本交际需要的原则，本教材特别注重日常交际中使用频率高，实用的词语和句型。

1.2.3 本教材的语法项目，是根据话题交际的需要而确定的。语法项目在各个单元、各个等级的分配，一是根据语言项目本身的难易程度，二是根据话题表达的需要，三是根据每篇课文的教学容量。

2 编写原则
    本教材体现针对性、系统性、科学性、趣味性以及独创性原则。

2.1 针对性：使用对象明确定为母语为英语的中学学生。

2.2 系统性：教材从话题、汉字、词语、语法等语言项目以及听、说、读、写、译各项言语技能上都有系统的安排和要求。

2.3 科学性：课文语料力求自然、严谨；语言点解释科学、简明；内容编排循序渐进；注重词语、句型等教学内容的重现率。

2.4 趣味性：内容丰富，贴近学生生活；练习形式多样，版面活泼，色彩协调美观。

2.5 独创性：本教材充分遵照汉语自身的特点，充分体现该年龄阶段（11-16岁）的中学生的学习心理与语言认知特点；充分吸收现有中学外语教材的编写经验，在教材体例、课文编写以及练习设计等方面都力求改进、创新。

3．教材内容

3．1　话题

　　本教材以话题为主线。每册有8个单元，每个单元涉及1-2个相关话题，如第一册的单元话题有"我的家"、"学校生活"、"时间和天气"等。每个单元包含3篇课文，全册共24篇课文。如"学校生活"单元的3篇课文是"中文课"、"我们班"和"我去图书馆"。全套教材3册，共24个单元，72篇课文。每册书的课文都涵盖了本套教材涉及到的各主要话题，并根据等级不同，对相同的话题在语言内容上逐步拓展，表达形式上逐步丰富，难度上逐步推进。这种"全面覆盖"、"螺旋上升"的编排形式，使学生在学完第一册或第二册后，也可参加相应的考试。同时，也方便有一定的汉语学习背景的学生，直接从第二册或第三册开始学习。对一些根据主话题拓展的子话题，则考虑到各册教材的容量和学生的接受能力，进行了分级。如"教育、培训、就业"专题，在第一册中，只涉及学校教育和日常活动，到第三册才涉及到某些与工作有关的话题。

3．2　语法

　　本教材考虑到学生的年龄特点、学习进程、学习目标等，在学生用书中，基本不涉及语法概念。但是在编写中，通过话题内容的安排，引导学生掌握汉语的基本表达形式。具体做法是：每篇课文根据话题交际的需要选择相应的句型或语言点，编排时则基本以重点句型为课文题目，以突出本课语言训练重点。练习设计也注意通过反复训练，让学生自然领悟一些汉语语法规则，并能够在表达时模仿运用。同时，在每个单元后安排了一个简明的单元小结，对本单元学习的重点句型进行了较为概括的描述，并列举了一些典型的例句。其作用是针对性地帮助学生巩固、复习一个单元的主要语言项目，方便教师进行阶段性的教学总结。在教师用书中，则对课文中涉及的语法现象进行解释、说明，尤其对一些与英语差异较大，或学生不易掌握的语言点，进行必要的教学提示。编写语法说明的目的是方便教师备课，并不是全面的汉语语法解释。

3．3　语音

　　本教材不单独设置语音学习单元，而是随着词语、句子的学习逐步练习正确发音。同时，为方便教师根据需要在课堂上进行语音指导训练，每册教材都附上《普通话声母韵母配合总表》。

　　汉语拼音是学生学习汉语的重要手段，本教材尽量利用英语中与汉语语音相对应的形式进行引导训练。对汉语较难发的音，在教师用书中作一定的提示，引导学生逐步掌握汉语拼音及其拼写规则。

　　考虑到该年龄段学生语音模仿能力强，是学习正确发音的良好时机，在基本的语言学习内容之外，本教材还适当安排一些游戏性的语音练习材料供学生练习发音用，如歌谣、古诗、绕口令、谜语等。这类练习材料有拼音，有汉字，并且配有英文。

3.4 汉字

汉字教学以认读为基本要求，适当选择一部分常用汉字练习书写。原则上每课要求练习书写的汉字5个（第一册少于5个，逐册增加）。学生课本上安排笔画、笔顺的练习。教师用书中，对一些有书写要求的汉字，尽量提供相关的汉字知识或教学材料（图片、故事等），使得汉字教学生动形象。

3.5 言语技能训练

本教材注重学生言语技能的训练。全套教材每篇课文的练习形式都包含"听、说、读、写、译"五个基本项目。

4 教材结构

本教材含学生用书和教师用书，教师用书将教学指导与练习册合二为一。此外，还设计了生词卡、汉字卡以及教学挂图、录音、录像等辅助教学材料。

4.1 学生用书

4.1.1 内容编排体现教学的基本步骤。

内容编排上打破传统汉语教材在每课内容编排上只是将课文、生词、练习等机械排列的做法，而是在编排上体现教学步骤与训练方式，贴近实际课堂教学，便于教师课堂操作。

4.1.2 课文内容富有趣味性，现实性。

选材生动活泼、话题真实可感，能激发和调动学生的想象力和创造性。

4.1.3 练习形式多样。

注意学生的年龄特点和语言学习的特点，练习设计鼓励学生的参与意识，练习形式富有互动性、合作性。

4.1.4 丰富的文化含量。

注意引导学生在学习汉语的同时，了解中国的基本情况，如主要城市、名胜古迹、节日、传统习俗、社会生活等。此外，本教材还根据需要配以具有中国特色的图片（剪纸、泥塑、国画、实景照片等），以形成教材文化方面的特色。

4.2 教师用书

既适合母语为汉语的教师使用，也适合母语为非汉语的教师使用。

4.2.1 提示每课的教学步骤、训练方法及练习答案。

4.2.2 充实、拓展教学材料。在学生课本的基础上，对教学内容、各项练习加以丰富。设计的练习在内容上有一定弹性，在难度上则有适当的阶梯性，可以供教师根据学生兴趣、水平和学时安排等具体情况进行选用。

4.2.3 提示语言知识点。对一些语言点、词语运用规则以及语音等方面的问题，进行解释，并做出相应的教学提示。考虑到汉字教学是对外汉语教学的难点，为了帮助教师指导学生学习汉字，本书将基本汉字知识分为十六个要点，分布在第一、二册的十六个单元进行了简明介绍。

4.2.4 提示文化背景。对一些涉及中国文化的知识点，进行解释说明，并配有英文翻译。

4.2.5 提供单元测试题。测试内容既对本单元的话题、句型以及词语等方面的内容进行总结，又在测试形式上尽量与中学外语测试题的形式靠拢，以便使学生逐步适应考试要求。

4.3 其他辅助材料

为方便使用本套教材进行课堂教学，加强教学效果，本教材还设计了相关的辅助教学材料。

4.3.1 挂图：共 10 张，包括数字、时间、日期，天气、食物、房间、用品等主题，以及声母、韵母等语音练习材料。

4.3.2 生词卡：每册提供若干易于表示形象的生词卡（一册 102 个，二册 127 个，三册 93 个），帮助教师在教学中指导学生认读生词、领会词义、练习发音使用。

4.3.3 汉字卡：每册提供要求书写的全部汉字卡，汉字卡上有读音、书写运笔方向和笔顺的提示。供学生练习汉字书写使用。

4.3.4 录音带：包括三册所有课文中的生词、句型、课文及听力练习的录音。

4.3.5 录像带：包括与教材内容相关的中国社会生活的背景材料，供教师在课堂教学中配合课文学习播放，丰富学生对汉语和中国文化的感性认识。

为中学生编写趣味性强，同时又较好体现出第二语言学习规律的汉语教材，是一件创造性的劳动。本教材一定还有需要改进和提高的方面，编写组欢迎使用者提出修改意见。

《快乐汉语》编写组
2003 年 5 月于北京

目 录

第一课　他是谁

教学目标

交 际 话 题：了解个人信息。

语 言 点：你姓什么？叫什么名字？

我姓马，我叫马丽丽。

他是谁？

生 词：姓 名 字 谁 朋友 多

欢迎 地方 你们 他们

汉 字：姓 名 字 朋 友

 一、基本教学步骤及练习要点

（一）导入：见面认识人，想要知道对方或者其他人的姓名，这时需要的最基本的词是"你、我、他"。

试试学生是否知道"你、我、他"。

本课学习的询问对方姓名分两部分，一是姓，二是名字，问题是"你姓什么？"和"叫什么名字？"分别示范几遍，让学生初步熟悉一下发音。

（二）做练习1，练习目的是了解本课的内容。

老师带读，注意学生的发音。

让学生轮流读一遍，纠正发音。

※ "谁"还有一个发音是"shuí"。这里我们用"shéi"音。

※ 中国人的姓名顺序和英国人的相反，所以做完练习1后让学生再说一下其中中国人的姓和名，加深印象。

（三）做练习2，听录音，按照录音顺序在相应的词下面填号码。练习目的是听懂本课生词。

（四）做练习3，按照句子意思在正确的图下面画勾。练习目的是听懂本课句型。

（五）做练习4，朗读词组，练习目的是进一步学习本课部分生词的其他用法。

（六）做练习5，用句型进行对话，练习目的是用本课句型进行表达。

练习 1）指定学生和老师做示范。然后学生两人一组，练习句型。

练习 2）学生两人一组，做对话练习。

如果有学生和朋友的合影，或学生家庭成员的照片，也可以让学生练习"他是我爸爸。""他是我哥哥。""他在London。"等等。

　　（七）做练习6，把问题和相应的回答用线连起来。练习目的是读懂本课句型和生词。

　　（八）做练习7，练习目的是认读本课汉字，复习句型和生词的意思。做这项练习，老师可以根据学生情况，书面和口头形式都可以。

　　（九）做练习8：姓　名　字　朋　友

　　写每个字之前，老师按照笔顺在黑板上示范，学生先用手在空中跟着一笔一笔地画，然后让学生数每个字有几笔。这部分练习不是让学生准确地知道汉字的笔画数量，只是加深对每一笔的印象，所以答案不要求太严格。

　　学生看书上的笔顺展示，每个字用手画几遍。

　　复印练习纸，让学生自己写。

　　准备粗笔和不同的彩色纸片，让每个学生写"欢迎"，贴在教室各个地方。

　　（十）做练习9，这是用绕口令做发音练习，主要目的是练习声调。

　　（十一）教师用书练习2说明：

　　做练习之前可以让学生简单化妆一下，一个扮演接待者，两个扮演参观者。

　　根据情况，也可以把对话情景变成警察电影场面，比如一个警察调查某两个人。鼓励学生用其他可能会的句型进行临场发挥，比如：

　　　　你叫……吗？

　　　　他是你的朋友吗？

　　　　他不是我的朋友。

　　　　你昨天九点在什么地方？

　　附：录音文本和练习答案
　　（一）练习2
　　(1)朋友 (2)地方 (3)名字 (4)欢迎 (5)谁 (6)姓 (7)多
　　（二）练习3
　　(1) 我姓李，我叫李小红。
　　(2) 他不是我的朋友。
　　(3) 我家在上海。✓
　　(4) 这个地方有很多商店。✓

 二、练习与课堂活动建议

　　（一）把拼音写在相应的汉字下面。

péngyou　　míngzi　　huānyíng　　dìfang

　　(1) 欢迎你。
　　　　_____nǐ.

2

(2) 你 叫 什么 名字？

Nǐ jiào shénme _____?

(3) 他 是 我 的 朋友。

Tā shì wǒ de _____.

(4) 这是 什么 地方？

Zhè shì shénme _____?

（二）根据拼音写汉字。

(1) Wǒ de péngyou.

我 的 _____。

(2) Tā de míngzi.

他 的 _____。

(3) Nǐ xìng shénme?

你 _____ 什么？

(4) Tā shì shéi?

他 ___ 谁？

(5) Wǒ xǐhuan zhè ge hǎo dìfang.

我 喜欢 这 个 ____ 地方。

(6) Wǒ jiā zài Běijīng.

我 家 在 _____。

（三）看图说话。

jiā
家

fàndiàn
饭店

huǒchēzhàn
火车站

xuéxiào
学校

diànyǐngyuàn
电影院

yīyuàn
医院

túshūguǎn
图书馆

shāngdiàn
商店

例：

这是什么地方？

这是 Mike 家。

（四）对话：欢迎来学校的参观者。

接待者：你好。　　　　　　参观者：你好。

你姓什么？　　　　　　　　我姓……

叫什么名字？　　　　　　　我叫……

他是谁？　　　　　　　　　他是我的朋友。

欢迎。

（五）朗读并翻译下面的句子。

（1）你们好，我叫 Tom，我是学生。

（2）他是我的朋友，他是英国人，他家在 London。

（3）我喜欢中文，我想去中国。

 ## 三、语言点与背景知识提示

（一）什么＋名词（"什么"做定语）

在第一册第二课中，我们学习了带"什么"的疑问句，比如：

你叫什么？

本课进一步学习"什么"在疑问句中做定语的用法。为更清楚地表达要问的内容，在"什么"后面可以加一些名词，比如：

你叫什么名字？

你家在什么地方？

爸爸做什么工作？

你要什么水果？

（二）用"谁"的疑问句（1）

"谁"可以放在动词的后面直接用来提问。回答的时候，新信息的位置和"谁"的位置一样。比如：

他是谁？　　　　　→　他是小海。

你喜欢谁？　　　　→　我喜欢丽丽。

第二课 她比我高

教学目标

交 际 话 题: 介绍朋友。

语 言 点: 你多大?

我今年十六岁。

我会说英语。

她比我大。

生 词: 多 今年 她 说 汉语 法语
英语 比 高 艺术 谢谢

汉 字: 多 年 说 比 高

 一、基本教学步骤及练习要点

(一) 导入:上一课学习了如何问人的姓、名、身份和居住地,本课进一步学习如何了解朋友的详细信息,包括年龄、专长和与自己相比有什么不同。先通读生词表,大致熟悉本课要学习的内容。

(二) 做练习1,朗读,练习目的是初步了解本课生词和句型的用法。
朗读时老师可用课本上的情景图或在黑板上画画来帮助学生理解。

(三) 做练习2,练习目的是熟悉本课生词的发音。

(四) 做练习3,在正确的图下面画勾。练习目的是听懂本课句型和生词。

(五) 做练习4,练习目的是进一步学习本课部分生词的用法。

(六) 做练习5,根据句型完成对话,练习目的是用本课句型进行口头表达。

在做2) 时,提醒学生可以根据年龄的不同,用"我比你大"或"我比你小"。

在做3) 时,先复习一下"今天、昨天、冷、热"。

(七) 做练习6,把词组和相应的英文用线连起来。练习目的是认读本课的汉字和词组,并复习有关的词组。

(八) 做练习7,这是综合练习,练习目的是认读本课生词,掌握发音,了解句子意义等。老师根据学生情况,让学生朗读后口头翻译,或让学生看后写出英语译文。

(九) 做练习8,写汉字,方法和以前的课一样。

(十) 教师用书练习说明:

练习3"看图说话":图片下的句型是参考句型,学生可以选用。因为图片中有一男和一女,所以学生可以任意扮演其中一人,然后说另一人。

附：录音文本和练习答案

（一）练习2

(1)汉语　(2)谢谢　(3)英语　(4)多　(5)她　(6)今年　(7)高

(8)法语　(9)艺术　(10)比　(11)说

（二）练习3

(1) 明明今年十七岁。

(2) 小海喜欢艺术。

(3) Mary 想做画家。✓

(4) Ann 的汉语很好。✓

(5) Tom 比 Mike 高。✓

(6) 小红家比丽丽家大。

二、练习与课堂活动建议

* 练习

（一）把拼音写在相应的汉字下面。

> jīnnián　　duō　　yìshù　　Hànyǔ
> huàjiā　　xièxie　　shuō

(1) 你 多 大？

　　Nǐ ___ dà?

(2) 我 今 年 十六 岁。

　　Wǒ_____shíliù suì.

(3) 她 喜 欢 艺术, 她 想　做 画家。

　　Tā xǐhuan_____, tā xiǎng zuò_____.

(4) 我 会 说 汉语。

　　Wǒ huì _____.

(5) 谢 谢。

　　_____.

（二）根据拼音写汉字。

(1) Huì shuō Hànyǔ.

　　_____ 汉语。

(2) Tom hěn hǎo.

　　Tom_____。

(3) Xiǎohóng de péngyou hěn duō.

　　小 红 的 _____。

(4) Tā bǐ wǒ gāo.

　　她___我___。

6

(5) Jīntiān bǐ zuótiān lěng.

今＿＿＿＿＿昨 ＿＿＿＿＿。

（三）看图说话。

他叫……
他是……（我哥哥，我姐姐，我的朋友……）
他家在……（北京，上海，香港……）
他比我……（大，小，高）
他会……（中文，法文，打网球，游泳……）
他有……（一只猫，一个姐姐……）
他喜欢……（法文、上网、游泳……）
他想做……（医生、画家、教师、商人、科学家……）

（四）老师问问题，学生听后回答。
(1) 你多大？
(2) 你会说汉语吗？会说法语吗？
(3) 你比（某同学）大吗？
(4) 你比（某同学）高吗？
(5) 今天比昨天冷吗？

（五）朗读并翻译。
(1) 我们班有七个学生，四个男学生，三个女学生。男学生比女学生多。
(2) 我们今天有汉语课，现在我们去教室。
(3) 我有一个中国名字，我喜欢我的中国名字。

＊ 课堂活动建议
"吹牛"比赛：用"我会……"和"我比你……"互相吹牛，看看谁更了不起。

7

（一）用"多＋形容词"提问

"多＋形容词"可以用来问程度和数量。在口语里，"多"后面常用单音节的形容词，比如：

多高　多大　多长　多远　多重

（二）A 比 B ＋形容词

这是汉语最常用的比较句之一，A 和 B 可以是：

代词：她比我大。

名词：Tom 比 Mike 高。　　　今天比昨天热。

名词性词组：这个节目比那个节目好。

（三）"汉语"和"中文"

"汉语"和"中文"一般是可以通用的，不过，严格地说，"汉语"一般指口头说的语言，所以常常用"说汉语"，其他有关的还有"说英语""说法语"等；"中文"一般指书面语言，所以常常用"看中文""写中文"。

第三课　我的一天

教学目标

交 际 话 题：日常生活。
语 言 点：我每天早上七点起床。

我九点开始上课。

我想看电影。

谁去？
生 词：时间表　每天　起床　饭　晚上
睡觉　开始　弟弟　妹妹
汉 字：每　起　床　谁　饭

 一、基本教学步骤及练习要点

（一）导入：介绍日常生活需要时间表达法。先复习一下时间的表达法，主要是整点和半点的表达，然后领读生词表。

（二）做练习1，练习目的是了解本课生词和句型。

（三）做练习2，根据录音内容在相应的图片下标号。练习目的是熟悉本课生词的发音和意义。

（四）做练习3，根据录音内容在正确的图片下画勾。练习目的是熟悉本课句型的发音和意义。

（五）做练习4，练习目的是进一步学习本课部分生词的其他用法，以及复习以前学过的与本课有关的词语。

（六）做练习5，练习目的是用本课的生词和句型进行成段的口头表达。

先让学生根据图片写出自己的时间表。

两人一组，分别根据自己的时间表进行表达。

练习完成后指定学生或让学生依次在全班表达。

（七）做练习6，练习目的是认读和本课内容有关的句型。

（八）做练习7，练习目的是进一步掌握本课生词和句型的意义。

根据学生情况，可以让学生听或朗读各句后进行口头翻译，也可以做书面翻译。

（九）做练习8，方法和以前的课相同。

（十）教师用书练习说明：

练习3：时间表只做参考，学生可以在时间表上写出具体的时间，也可以添加更多的时间。

9

活动名称除了本课学习的"起床、睡觉"等等以外，还可以根据自己的实际情况，尽量用学过的词语，比如"游泳、打篮球、上网、去图书馆、去商店"等等。

附：录音文本和练习答案

（一）练习2

（1）起床　　（2）时间表　（3）晚上　　（4）睡觉

（5）饭　　　（6）每天　　（7）开始

（二）练习3

（1）我八点开始（上课）。

（2）我晚上九点半（睡觉）。

（3）我每天早上七点（起床）。

（4）今天晚上我想看（电影）。

（5）我每天早上七点半（吃饭）。

 二、练习与课堂活动建议

（一）根据学生用书练习1判断下面句子的正误。

（1）我每天早上七点半起床。

（2）我九点吃饭。

（3）我八点开始上课。

（4）我晚上九点半睡觉。

（5）今天晚上我想看电视。

（二）根据拼音写汉字。

（1）Tā bù chī fàn.

　　＿＿＿＿＿＿＿＿＿＿＿＿。

（2）Shéi xiǎng qù dǎ wǎngqiú?

　　＿＿＿＿＿＿＿＿＿＿＿＿＿＿。

（3）Wǒ měitiān zǎoshang qī diǎn bàn qǐchuáng.

　　＿＿＿＿＿＿＿＿＿＿＿＿＿＿＿＿＿＿＿。

（三）填写时间表，说说你今天的安排。

参考词语：

| 地点： | 教室　学校　图书馆　运动场　我家 |
| | 朋友家　商店　电影院　饭店 |

| 活动： | 起床　吃饭　睡觉　看电影 |
| | 看电视　运动 |

　　　　6：00
　　　　8：00
　　　10：00
　　　12：00
　　　14：00
　　　16：00
　　　18：00
　　　20：00
　　　22：00
　　　24：00

（四）根据图片，两人问答。
例：A：你每天早上几点起床？
　　　B：……

（五）朗读并翻译。
（1）我昨天晚上在家看电视，那个节目很好看。
（2）我晚上两点睡觉。
（3）现在是早上九点半，我不想起床。

附：练习答案
（一）练习1
（1）误　（2）误　（3）正　（4）误　（5）误
（二）练习2
（1）他不吃饭。
（2）谁想去打网球？
（3）我每天早上七点半起床。

11

三、语言点与背景知识提示

（一）表示时间的状语

在第一册第十课中我们学过：汉语表达某个时间从事某项活动时，时间词语既可以出现在主语前，也可以出现在主语后，如：

> 星期一我有中文课。（时间词语在主语前）

> 我星期一有中文课。（时间词语在主语后）

为了便于教师指导和学生记忆，第一册第十课的时间词语一律放在句首，即主语前。本课学习时间词出现在主语后、动词前的情况，比如：

> 我每天早上七点起床。

> 我八点开始上课。

※ 注意：汉语在表达时间时，时间单位是从大到小的，比如：

> 我二〇〇三年五月二十号去香港。

> 他星期一早上八点有法语课。

（二）用"谁"的疑问句（2）

在第二册第一课中，我们学习了"谁"的疑问句（1），即"谁"出现在动词后提问的用法。比如：

> 他是谁？　　→　　他是小海。

> 你喜欢谁？　　→　　我喜欢丽丽。

本课学习用"谁"的疑问句（2），"谁"放在句首或其他位置提问，比如：

（1）放在句首：

> 谁喜欢你？　　→　　小红喜欢我。

> 谁在家？　　→　　爸爸在家。

> 谁想做医生？　→　　我想做医生。

（2）放在名词前面做定语：

> 今天是谁的生日？　→　今天是我的生日。

（三）汉字的基本笔画

笔画是汉字书写的最小单位，书写时从落笔到起笔算作一笔，也称一画，书写笔画时，起始的顺序是从上到下，从左到右。

汉字最基本的笔画有：

、：点 diǎn

一：横 héng

丨：竖 shù

丿：撇 piě

乀：捺 nà

㇏：提 tí

还有一些笔画是从基本笔画派生出来的，比如：㇆、㇉、㇄。

笔画与笔画的组合方式有以下三种：

相接：人、上、工

相离：二、儿、八

相交：十、又、九

第一单元测验

1、根据录音选择答案。

(1) a. Shànghǎi   b. Xiānggǎng

(2) a. Lǐ Xiǎolóng   b. Lǐ Xiǎohóng

(3) a. shí suì   b. shísì suì

(4) a. Hànyǔ   b. Fǎyǔ

(5) a. dà   b. gāo

(6) a. chī fàn   b. qǐchuáng

2、按照要求进行口头表达，表达要包括括号里的内容。

(1) 介绍自己或一个朋友

姓名、家在什么地方、多大、喜欢什么

(2) 我的一天

起床、吃饭、上课、睡觉

3、朗读。

马丽丽是我的中国朋友，她家在北京，她今年十二岁。她会说英语，她的英语很好。

4、根据拼音写汉字。

(1) Wǒ yǒu hěn duō péngyou.

_____。

(2) Wǒ měitiān liù diǎn qǐchuáng.

_____。

5、翻译。

(1) 把英文翻译成中文。

a. Who is he? _____

b. What's your name? _____

c. How old are you? _____

d. Can you speak English? _____

(2) 把中文翻译成英文。

a. 他比我大，也比我高。

_____

b. 我每天早上八点起床，九点开始上课。

_____

c. 今天我想去看电影。

_____

第一单元测验部分答案

1、根据录音选择答案。

(1) 我家在<u>上海</u>。

(2) 我姓李，叫<u>李小红</u>。

(3) 我今年<u>十四岁</u>。

(4) 我会说<u>汉语</u>。

(5) 我的朋友比我<u>高</u>。

(6) 我每天八点<u>吃饭</u>。

答案：(1) a   (2) b   (3) b   (4) a   (5) b   (6) a

4、根据拼音写汉字。

(1) 我有很多朋友。

(2) 我每天六点起床。

5、翻译。

(1) 把英文翻译成中文。

a、他是谁？   b、你叫什么名字？

c、你多大？   d、你会说英语吗？

第二单元
我的家

第四课　我的房间

教学目标

交际话题： 我的房间。

语言点： 我的房间里有椅子、桌子。

书架上有很多中文书。

客厅里有沙发。

生　　词： 椅子　桌子　客厅　沙发　书架

床　上　里　灯　书

汉　　字： 里　间　沙　发　的

 一、基本教学步骤及练习要点

（一）导入本课话题"我的房间"。让学生谈谈自己房间的布置，教师可以记下学生使用过的与本课有关的词语。也可以让学生画图说明自己的房间，保留包含本课生词较多的图，由此导入生词。

（二）做练习1，朗读时请注意纠正学生的发音。

（三）做练习2，听生词。要求学生听录音中的生词，然后把序号写在表格中。

（四）做练习3，要求学生在听到录音后，在候选框中选择项目，画到图片中，然后口头描述图片。

（五）做练习4，这是一个情景对话练习，要求学生根据1)和2)的句式，自己描述一个房间。

（六）练习5是认读练习，把上面的汉字词语与下面的英文词语连接起来，目的在于让学生掌握生词的汉字形式。

（七）练习6是一个翻译练习，要求学生能够熟练朗读每个句子，然后再进行翻译。这是对本课生词和句型的复习。

（八）练习7为本课的综合练习，可以让学生把候选词写在图片内，然后描述；请教师引导学生适当复习第一册学习过的词语。

（九）练习9为发音练习。

附：录音文本和练习答案

（一）练习2

(1) 电视　　(2) 沙发　　(3) 桌子　(4) 椅子　(5) 床

(6) 上　　　(7) 中文书　(8) 里　　(9) 客厅　(10) 书架

（二）练习3

(1) 我的房间里有椅子、桌子、床、灯。

(2) 客厅里有电视、沙发、书架，书架上有中文书。

 二、练习与课堂活动建议

* 练习

（一）看汉语，写英语。

(1) 里 _____

(2) 床 _____

(3) 沙发 _____

(4) 椅子 _____

(5) 桌子 _____

(6) 书架 _____

(7) 上 _____

(8) 客厅 _____

（二）看拼音，找汉字。

(1) lǐ   ( )

(2) chuáng   ( )

(3) shāfā   ( )

(4) yǐzi   ( )

(5) zhuōzi   ( )

(6) shūjià   ( )

(7) diànshì   ( )

(8) kètīng   ( )

① 沙发
② 椅子
③ 电视
④ 床
⑤ 客厅
⑥ 书架
⑦ 里
⑧ 桌子

（三）看英语，找拼音。

There is a table in my room.

There are many English books on the bookshelf.

There is a small cat on the sofa.

There is a computer in my parent's room.

There is a TV in front of the sofa.

Shūjià shang yǒu hěn duō Yīng-yǔshū.

Shāfā qiánbian yǒu diànshì.

Bàba、māma de fángjiān li yǒu diànnǎo.

Shāfā shang yǒu yì zhī xiǎo māo.

Wǒ de fángjiān li yǒu zhuōzi.

（四）看英语，说汉语。

(1) table and chair（注："和"是生词，此处译成"桌子、椅子"即可，下同）

(2) TV and computer

(3) Chinese books

(4) in the living room

(5) to drink coffee in the kitchen

（五）看拼音，写句子。

(1) Zhè shì wǒ jiā.
＿＿＿＿＿＿＿＿＿＿家。

(2) Wǒ de fángjiān li yǒu shāfā.
＿＿＿＿房＿＿＿＿＿＿＿＿＿。

（六）朗读汉语，并画图。

(1) 这是我的房间，房间里有床、桌子、书架。书架上有很多书。

(2) 那是我家的客厅，客厅里有沙发、电视。沙发上有一只小狗。

(3) 我哥哥的房间里有桌子、椅子。桌子上有电脑，电脑旁边有灯。

(4) 这是我家的厨房，厨房里有桌子。桌子上有茶、面包。姐姐在厨房里吃面包，喝茶。

（七）画出你的房间，说说房间里有什么？

参考句型和生词：

句型：我的房间里有……

　　　……上有……

生词：很多、床、桌子、椅子、书架、书、中文书、英文书、法文书、猫、狗

附：　练习答案

（一）练习4

(1) 桌子，椅子

(2) 电视、电脑

(3) 中文书

(4) 在客厅里

(5) 在厨房里喝咖啡

（二）练习5

(1) 这是我家。

(2) 我的房间里有沙发。

*　课堂活动建议

自己动手布置房间

教师可以找一些本课生词涉及到的家具图片，让学生分成小组，每个小组准备一张白纸。设想这是一间空房间，让学生自己把家具的图片粘贴到白纸上，然后用汉语说出他们自己"布置"的房间。

也可以让学生根据自己学过的生词，画出一间自己想像的小屋，然后描述出来，并且说明，自己为什么要在图画里画这些东西。

 三、语言点与背景知识提示

（一）汉语中的方位词（二）"里"和"上"

里：本课学习的"里"，表示在一定的空间界限以内。"名词＋里"后常常加上动词"有"，表示某处存在某物，这时"里"读轻声。如：

　　房间里有电视。

　　教室里有桌子、椅子。

　　图书馆里有很多书。

上：本课中的"上"也是一个方位词，也可以构成"名词＋上"格式，指物体表面的位置，"上"也读轻声。如：

　　桌子上、沙发上、书架上、床上

名词＋上＋有：表示某物的顶部存在其他物体，如：

　　桌子上有中文书。

　　床上有一只猫。

　　书架上有很多书。

（二）"福"到了

在中国，每逢节庆喜日，人们喜欢在家里的门上贴一个"福"字，而且要把这个"福"字倒过来贴，取"倒"这个字的谐音，意思就是"福到了"。

Good fortune has arrived

When people celebrate festivals and other occasions in China they like to hang the 'fu' character (meaning good fortune or luck) on doorways in their houses. However, the 'fu' character is hung upside down because the Chinese for 'upside down' is a homophone of the Chinese for 'to arrive', so the overall meaning is that 'good fortune has arrived'.

第五课 客厅在南边

教学目标

交 际 话 题：房间位置。

语 言 点：卧室在东边。
客厅在南边。
卫生间在客厅对面。

生 词：卧室 东边 南边 饭厅
卫生间 门 对面

汉 字：东 边 南 对 面

 一、基本教学步骤及练习要点

（一）本课的话题为介绍房间的位置。教师可以画出教室的平面图，标出东、西、南、北的方向，让学生找出自己在图中的位置，然后引导学生熟悉汉语中用东、西、南、北表示方位的方法。也可以在教室的东和南两个方向的墙或窗上贴上"东""南"这两个汉字，让学生说出哪位同学在东边，哪位同学在南边。

（二）做练习1，朗读本课的主要生词和句型。本练习列出了本课所要学习的基本句型，目的在于让学生了解本课句型，为做练习2和3的听力项目做准备。

（三）做练习2，听本课生词的录音，要求学生按照录音中生词的顺序，把生词的编号填写进生词下面的空格内。

（四）做练习3，这部分是一个听力判断题，考察学生对方位词的理解和记忆程度。

（五）做练习4时，让学生首先看左面的汉字词语，然后选择右面与之相对应的拼音，考察学生对生词拼音的记忆。

（六）练习5是一个对话练习，第一和第二个对话是使用方位词描述位置的例子。第三个和第四个对话，难度有所加大，对话为一个扩展练习，目的在于让学生有更多的机会使用方位词做对话练习。

（七）练习6和7都是考查学生翻译能力的练习：练习6为翻译词语，练习7为翻译句子，难度逐渐加大。

附：录音文本和练习答案

（一）练习2

(1) 南边　(2) 卧室　　(3) 对面　(4) 东边

(5) 饭厅　(6) 卫生间　(7) 门　　　(8) 前边

（二）练习3

这是我家，客厅在南边。爸爸、妈妈的卧室也在南边。饭厅在东边。卫生间在对面。

厨房在后边。

答案：

东边		✓			
南边	✓				✓
对面			✓		
后边				✓	

二、练习与课堂活动建议

* 练习

（一）读词语，写拼音。

东边	南边	对面	左边
饭厅	门	卫生间	卧室

（二）英汉对应。

(1) 卫生间 (wèishēngjiān)　　　　opposite

(2) 门 (mén)　　　　south

(3) 对面 (duìmiàn)　　　　toilet

(4) 东边 (dōngbian)　　　　dining room

(5) 南边 (nánbian)　　　　bedroom

(6) 饭厅 (fànting)　　　　east

(7) 卧室 (wòshì)　　　　door

（三）看英语，找拼音。

> The toilet is opposite.
>
> The living room is to the south.
>
> The kitchen is to the east.
>
> My parents' bedroom is on the right.
>
> The dinning room is on the left.

> Wǒ bàba、māma de wòshì zài yòubian.
>
> Fàntīng zài zuǒbian.
>
> Wèishēngjiān zài duìmiàn.
>
> Kètīng zài nánbian.
>
> Chúfáng zài dōngbian.

（四）朗读词语，并画出你家的房间位置图，说说这些房间在哪儿。在描述时注意使用灰框中的词。

kètīng
客厅

chúfáng
厨房

fàntīng
饭厅

wòshì
卧室

wèishēngjiān
卫生间

zài dōngbian
在 东 边

zài nánbian
在 南 边

zài duìmiàn
在 对 面

zài pángbiān
在 旁 边

zài qiánbian
在 前 边

zài hòubian
在 后 边

zài zuǒbian
在 左 边

zài yòubian
在 右 边

（五）看拼音，写汉字。

Chúfáng zài yòubian, zǎoshang, wǒ zài chúfáng chī miànbāo.

厨 房 ＿＿＿＿ 边，＿＿＿＿，＿＿＿ 厨 房 ＿＿ 面 包。

（六）朗读并翻译。

(1) Wèishēngjiān zài zuǒbian, wòshì zài yòubian, Wòshì li yǒu yì zhī xiǎo māo.
卫 生 间 在 左 边，卧 室 在 右 边。卧 室 里 有 一 只 小 猫。

(2) Chúfáng zài pángbiān, wǎng yòu zǒu. Wǒ māma zài chúfáng li hē kāfēi.
厨 房 在 旁 边，往 右 走。我 妈 妈 在 厨 房 里 喝 咖 啡。

(3) Kètīng zài qiánbian, fàntīng zài hòubian. Bàba zài kètīng kàn diànshì, wǒ zài fàntīng
客 厅 在 前 边，饭 厅 在 后 边。爸 爸 在 客 厅 看 电 视，我 在 饭 厅

chī shuǐguǒ.
吃 水 果。

附：练习答案

练习5

厨房在右边，早上，我在厨房吃面包。

＊ 课堂活动建议

（1）自己的小屋

教师准备两部分生词卡：一部分为方位词，如前边、后边、左边、右边、东边、南边、对面等；另外一部分为本课学过的表示房间名称的词，如卫生间、饭厅、卧室等。也可以准备一些以前学习过的词语，如厨房、客厅等。将学生分成若干小组（视学生人数决定），发给每个小组一张A4的白纸；每个小组抽取一张生词卡，按照生词卡上的词语画成他们想像中的客厅、饭厅、厨房等。教师指派每个小组抽取方位词，抽到一个方位词，就要用"……房间＋在＋方位词"说出一个句子，那个房间必须是他们自己画的。做完全部方位词的练习之后，可以让每个小组交换图画作品，反复练习。

（2）梦中的教室

教师让学生随意地坐在教室的任何位置，这个位置必须是他们最喜欢的，然后让他们闭上眼睛，开始想像：如果上课的时候他们可以随便坐在教室的任何地方，他们最喜欢坐在哪里？为什么？他们必须描述出这个位置周围的人和东西，注意引导学生使用本书学过的方位词。教师也可以提供一些让他们选择的词语，如电视、录音机、男同学、女同学等，让他们把这些东西安排在自己满意的位置上，然后描述出来。

 三、语言点与背景知识提示

（一）方位词（三）

（1）东（边）、西（边）、南（边）、北（边）

在第一册（见第一册第24课语言点1）里，我们已经学过了汉语的一些方位词，如前（边）、后（边）、左（边）、右（边）、旁边等。在本课，我们继续学习汉语方位词"东边"和"南边"，其他的方位词还有"西边"和"北边"。"东、南、西、北、前、后、左、右、旁边"是汉语中比较常见的九个方位词。

（2）对面

这也是一个汉语中常见的方位词，可以单独使用，表示所指的位置在说话人的对面。例如：

> 饭厅在对面。
> 卫生间在对面。

也可以用在另外一个表示场所的名词前。例如：

> 电视在沙发对面。
> 卫生间在客厅对面。
> 汽车站在火车站对面。

在这些句子中，方位词前面表示场所的名词是说话人心中的参照物。

23

（二）中国北方民居

在汉语中，人们习惯用表示地理方向的方位词来描述位置，如：卧室在南边，卫生间在北边；门在东边，窗户在西边。这与中国中原地区的地理位置和天气条件有关系。由于中国北方多为平原地区，冬季风自北方刮来，一个房间的北部比较阴冷；而当夏天时，太平洋季风由南而来，因此，坐北朝南的房间利于冬季保暖，夏季散热。北京的四合院就是典型的北方民居。一个院落中，最好的房间是坐北朝南的，房间的南面是门，北面是窗，这个房间称为正房，多由家庭中最重要的成员居住，也是一个家庭举行重要活动的地方。东西朝向的房子称为厢房，多为下人居住的地方。北京的故宫是四合院结构的最为华丽的延伸，皇帝举行盛大活动的太和殿就是处于故宫正中的坐北朝南建筑。其他的还有山东曲阜的孔府，山西平遥的乔家大院，都是典型的中国北方民居。后者因为著名导演张艺谋的电影《大红灯笼高高挂》在此拍摄而蜚声海内外。

Northern Chinese Houses

In Chinese, people customarily use points of the compass when describing the location of places and objects, for instance: the bedroom is to the south, the toilet is to the north, the door is to the east, and the window is to the west. One reason for this comes from prevailing weather conditions and the geographical position of China's Central Plains region. As northern China is mostly plains, winter winds blow from the north, and the northern part of a room is therefore quite cold in winter; but in summer, the cool Pacific winds blow from the south. South facing rooms therefore benefit from being warmer in winter and cooler in summer. Beijing's courtyard houses are typical northern residences: in a courtyard house the best rooms face south, doors are on the south side, windows on the north side. These rooms are called the principal rooms, where the most important members of the family live, and it is also the place where important family events are held. The Forbidden City in Beijing is the most magnificent courtyard structured complex, the Hall of Supreme Harmony where emperors held large events is a south facing building at the centre of the Forbidden City. Other examples are the Confucian Temple and Confucius's house in Qufu, Shandong province, and Chao's House in Pingyao County, Shanxi Province, all of which are traditional northern Chinese residences. Chao's house became famous world-wide after being used by Zhang Yimou in his film 'Raise the Red Lantern'.

第六课 你家的花园真漂亮

教学目标

交 际 话 题： 描述"我"的家。
语 言 点： 我的书桌很干净。
　　　　　　你家的花园真漂亮。
生 　 　 词： 家具　花　花园　书桌　干净
　　　　　　整齐　漂亮　真　你们的
汉 　 　 字： 桌　真　花　干　净

 一、基本教学步骤及练习要点

（一）导入本课话题，学习描述自己的家，引导学生对周围的环境或事物进行描述和评价。请教师准备一些花园、卧室、客厅、校园、火车站、飞机场以及一些为学生熟知的卡通书、教材、小动物等的图片，根据图片上的内容，对学生进行提问。让学生根据自己的经验说出，哪些地方漂亮，哪些地方干净，什么东西漂亮，以便学生熟悉本课的话题。

（二）读生词，注意纠正学生的发音。

（三）做练习1，教师带学生朗读，纠正发音，同时让学生熟悉本课的句型和生词。

（四）做练习2和3。做练习2时，让学生听录音，按照录音里生词的顺序，把序号填写在图片或汉字下面的空格里。练习3是一个判断题，每个题里有两个句子，只有一个句子跟录音是一致的。让学生在听录音的同时，选择正确的句子。

（五）做练习4，这是一个朗读练习，包含了本课基本的词语搭配和主要句型，为下面的练习做准备。

（六）做练习5，这是一个会话练习。第一组是一个完整的对话，把本练习的基本句型展示给学生。从第二组开始，难度逐渐加大。第四组要求学生按照图片的提示做一个完整的会话。

（七）做练习6，巩固本课的生词。

（八）练习7是一个翻译练习，要求学生能够熟练朗读每个句子，然后再进行翻译。这是对本课生词和句型的复习。

附：录音文本和练习答案

（一）练习2

（1）花　（2）书桌　（3）花园　（4）家具　（5）整齐　（6）漂亮　（7）真　（8）干净

（二）练习3

(1) 我家的花园里有很多花。

(2) 书架上有很多书。

(3) 爸爸的房间里有电视。

(4) 我姐姐的卧室里有很多家具。

(5) 你家真漂亮。

 二、练习与课堂活动建议

* 练习

（一）看拼音，找英语。

(1) shūzhuō

(2) jiājù

(3) huāyuán

(4) huā

(5) zhēn

(6) gānjìng

(7) zhěngqí

(8) piàoliang

desk

garden

really

clean

beautiful

tidy,neat

furniture

flower

（二）看汉字，找拼音。

(1) 漂亮 ___piàoliang___

(2) 花园 _____

(3) 整齐 _____

(4) 家具 _____

(5) 干净 _____

(6) 花 _____

(7) 真 _____

(8) 书桌 _____

zhěngqí

jiājù

huā

shūzhuō

piàoliang

zhēn

gānjìng

huāyuán

（三）看英语，找汉语。

My bookshelf is very tidy.

The furniture in your home is
  really beautiful.

Your bedroom is really clean.

The garden of your family is
  really beautiful.

Your small cat is really clean.

Nǐ jiā de jiājù zhēn piàoliang.

Nǐ jiā de huāyuán zhēn piàoliang.

Nǐ de xiǎo māo zhēn gānjìng.

Wǒ de shūjià hěn zhěngqí.

Nǐ de wòshì zhēn gānjìng.

（四）看英语，说汉语。

(1) very cold, really cold

(2) very hot, really hot

(3) very clean, really clean

(4) very tidy, really tidy

(5) very beautiful, really beautiful

（五）看拼音，写句子。

Shūzhuō shang yǒu hěn duō shū.

_____。

Wǒ de shūzhuō zhēn gānjìng.

_____。

（六）对应并翻译。

Zhè shì wǒ jiā de kètīng, kètīng li yǒu hěn duō jiājù.
(1) 这是我家的客厅，客厅里有很多家具。

Zhè shì wǒ jiā de huāyuán, huāyuán li yǒu hěn duō huā.
(2) 这是我家的花园，花园里有很多花。

Wǒ de shūjià shang yǒu hěn duō shū.
(3) 我的书架上有很多书。

Shāfā shang yǒu yì zhī xiǎomāo.
(4) 沙发上有一只小猫。

Wǒ jiā de huāyuán zhēn piàoliang!
我家的花园真漂亮！

Shūjià hěn zhěngqí.
书架很整齐。

Xiǎo māo zhēn piàoliang!
小猫真漂亮！

Wǒ jiā de kètīng hěn gānjìng.
我家的客厅很干净。

附：练习答案

（一）练习4

(1) 很冷，真冷

(4) 很热，真热

(2) 很干净，真干净

(3) 很整齐，真整齐

(5) 很漂亮，真漂亮

（二）练习5

书桌上有很多书，我的书桌真干净。

＊ 课堂活动建议

漂亮的家

把学生分成若干组，发给每一组一张 A4 的白纸。要求每一组用铅笔画出一个想像中的家，并给这个家起一个名字，如 Tom 的家、小海的家等，也可以用小组成员的名字命名。待所有小组画完之后，让各小组按顺时针（或逆时针）方向交换自己画的画儿。拿到画儿的小组开始描述，画画儿的小组可以作适当的补充。所有的图画都描述完之后，教师可以把图画收起来，不让学生看，然后让学生根据刚才听到的描述，选出自己认为最漂亮的家。选完之后，教师把图画展示给学生看，看看他们评选的结果与图画是否吻合。

提示：教师可以鼓励学生尽量多地使用本单元学过的生词和句型。

 三、语言点与背景知识提示

（一）主语＋很／真＋形容词

（1）主语＋很＋形容词

在本套书里我们已经学过了"主语＋很＋形容词"的句子，如："我很好。"（见第一册第1课）"我家很小。"（见第一册第6课）本课我们继续学习这一句型。在汉语里，"很"是一个表示程度的副词，"很＋形容词"表示程度高，相当于英语的"very+ adjective"结构。"很＋形容词"结构前面加上主语，构成形容词谓语句，如：

今天很冷。

客厅很大。

书架很整齐。

卫生间很干净。

我们的校园很漂亮。

（2）主语＋真＋形容词

在"真＋形容词"结构中，"真"是一个副词，意思为：实在，的确，表示加强对它后面的形容词所描述的状况的肯定。例如：

真冷

真大

真干净

真整齐

真漂亮

"真＋形容词"的结构前面也可以加上主语，构成"主语＋真＋形容词"的句式，如：

今天真冷。

客厅真大。

卫生间真干净。

你的书架真整齐。

你家的花园真漂亮。

（二）汉字的基本笔顺

笔顺就是汉字笔画的书写顺序。一般来说，汉字笔画的顺序是：

先横后竖，如"下、木、有"等；

先撇后捺，如"八、人、个"等；

由上至下，如"早"，先写"日"再写"十"；

从左到右，如"你"，先写"亻"再写"尔"；

从外到内，如"肉"，先写"冂"再写"仌"；

先里头后封口，如"国"，先写"冂"再写"玉"最后封口写"一"。

同时，书写时还要考虑汉字间架结构的适当比例，才能写出匀称美观的汉字。

（三）年画

中国人在春节的时候喜欢在家里张贴年画，以示喜庆。传统的年画内容丰富，色彩鲜艳，人物造型夸张古朴。常见的年画如："年年有余（鱼）"、"招财进宝"、"喜得贵子"、"鲤鱼跳龙门"、"岁寒三友"等等。年画的历史可以追溯到东汉和六朝时期。天津杨柳青（今属天津市）、山东潍县杨家埠（今为潍坊市）和江苏苏州桃花坞是中国最著名的三大年画产地。

New Year Pictures

Chinese people like to hang New Year pictures in their house to celebrate happiness during the Spring Festival. Traditional New Year pictures have rich contents, vivid colour and exaggerated form. Usual New Year pictures are: "fishes of every year", "welcoming fortune", "new birth", "the carp jumping over the Longmen gorge", "three green plants in winter" etc. The history of New Year pictures can be traced back to the Donghan and Liuchao Dynasty. Yangliuqing in Tianjin, Yangjiabu in Wei county Shandong and Taohuawu in Suzhou Jiangsu province are the most famous places for producing New Year pictures.

第二单元测验

一、听力。

(1) 按录音顺序标号。

(2) 听录音，标出"×"与"√"。

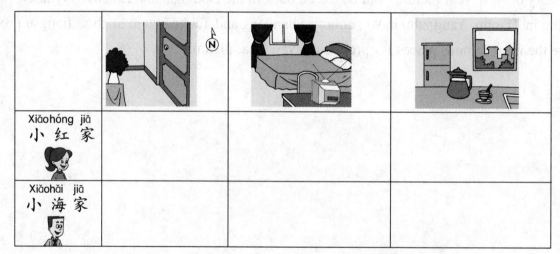

二、看图回答问题。

(1)

① 客厅里有什么？客厅里家具多吗？客厅干净吗？

② 桌子在哪儿？桌子上有什么？

③ 椅子在哪儿？椅子上有什么？

④ 书架上书多吗？书架上有什么书？书架整齐吗？

(2)

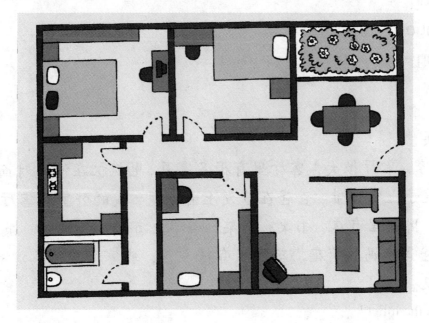

① 明明家的客厅在哪儿？

② 明明家的饭厅在哪儿？

③ 明明家的厨房在哪儿？

④ 明明的卧室在哪儿？

⑤ 爸爸、妈妈的卧室在哪儿？

⑥ 明明家的卫生间在哪儿？

⑦ 明明家的花园在哪儿？花园里有什么？

三、朗读。

(1) Shūjià shang yǒu hěn duō Zhōngwén shū, wǒ de shūjià hěn zhěngqí.
书架上 有很多 中文书， 我的 书架很整齐。

(2) Gēge de fángjiān yǒu diànnǎo, gēge xǐhuan diànnǎo yóuxì.
哥哥的房间有电脑，哥哥喜欢电脑游戏。

(3) Kètīng zài náibian, wèishēngjiān zài kètīng pángbiān.
客厅在南边，卫生间在客厅旁边。

(4) Wǒ jiā huāyuán li yǒu hěn duō huā, huā zhēn piàoliang.
我家花园里有很多花，花真漂亮。

(5) Bàba māma de wòshì li yǒu hěn duō jiājù, jiājù hěn gānjìng.
爸爸妈妈的卧室里有很多家具，家具很干净。

四、写汉字。

(1) shāfā

(2) nánbian

(3) duìmiàn

(4) shūzhuō

(5) gānjìng

五、翻译。

(1) 汉译英。

　　这是我家。客厅很大，客厅里有很多家具，电视机在沙发对面，沙发前面有桌子，桌子上有咖啡。爸爸在沙发上看电视。我的卧室在客厅旁边，我的卧室很小，卧室里有床、书桌、书架，书架上有很多英文书。饭厅的外面是花园，我爸爸妈妈喜欢花，花园里有很多花，我家的花园真漂亮！

(2) 英译汉。

① Where is the toilet?

② The TV is opposite the sofa.

③ The living room is to the south.

④ There is a bookshelf in my bedroom.

⑤ The garden is to the east of our house.

第二单元测验部分答案

一、听力。

(1) 按录音顺序标号。

①厨房　②桌子　③床　④花园　⑤门　⑥客厅

⑦书架　⑧椅子　⑨厨房　⑩卫生间

(2) 听录音，标出"×"与"√"。

① 小红家客厅的门在南边；小海家客厅的门在东边。

② 小红家卧室里有电视；小海家卧室里有电脑。

③ 小红家厨房里有面包；小海家厨房里有咖啡。

④ 小红家的卫生间很干净；小海家的卫生间也很干净。

⑤ 小红家的花园不漂亮；小海家的花园真漂亮！

四、写汉字。

(1) 沙发　(2) 南边　(3) 对面　(4) 书桌　(5) 干净

第七课 你买什么

教学目标

交 际 话 题：购物单。

语 言 点：一瓶牛奶，两斤苹果。

我买苹果和点心。

我还要牛奶。

我要一瓶。

生   词：买 水 点心 还 斤

瓶 和 要 东西

汉   字：买 斤 西 和 还

 一、基本教学步骤及练习要点

（一）导入：复习学过的食品、饮料等名词和学过的量词，老师可以提示"一只小猫""一个房间""五个学生"等，然后介绍本课量词和词语。

（二）做练习1，朗读句子和对话，熟悉以下内容：

（1）量词：瓶、斤

（2）量词单独使用：几斤？一斤。

（3）和

（4）要买…

（三）做练习2，听录音，可以跟录音重复，进一步熟悉词语。

（四）做练习3，听后选择，通过选择检查理解程度。

（五）做练习4，认读，注意强调练习1中的四项重点。

（六）做练习5，根据所给提示进行表达，可以让学生两人一组进行练习。

（七）做练习6，认读短句，进一步加强汉字认读能力，这里结合了以前学过的内容，然后与相应英文连线，检查理解程度。

（八）做练习7，翻译，复习巩固，可进一步让学生自己说句子进行翻译。

（九）发音练习。

（十）根据学生水平，可选做教师用书中的练习。其中练习1帮助学生进一步熟悉词语，练习2进一步熟悉量词与名词的搭配，练习3看图说话，训练表达能力，练习4练习认读和翻译，练习5练习写汉字。

附： 录音文本和练习答案

（一）练习2

(1) 一瓶汽水　　　　(4) 买

(2) 三斤牛肉　　　　(5) 很多东西

(3) 点心　　　　　　(6) 水果和菜

（二）练习3

售货员：你买什么？

小　海：我买十瓶水和三瓶牛奶。

售货员：你还买什么？

小　海：我还买两斤苹果和一斤点心。

二、练习与课堂活动建议

* 练习

（一）把英文抄写在相应的汉字旁。

water	和	_____
thing	一瓶	_____
buy	东西	_____
a bottle of	一斤	_____
also	还	_____
half kilogram	水	_____
refreshments	点心	_____
and	买	_____

（二）选词填空。

a 个（gè）　　b 瓶（píng）　　c 只（zhī）　　d 斤（jīn）

(1) 一 _____ 牛奶　　　　(2) 三 _____ 小狗

(3) 六 _____ 鸡蛋　　　　(4) 两 _____ 牛肉

(5) 五 _____ 房间　　　　(6) 一 _____ 点心

(7) 七 _____ 汽水

（三）看图说话。

参考词语：买 mǎi 和 hé 还 hái 几 jǐ 瓶 píng 斤 jīn

参考句型：买什么？

买几斤／几瓶？

还要什么？

（四）看英文问题，选择中文回答。

(1) What do you want to buy?　　　　a 我要买苹果。

(2) How many bottles of water
do you want to buy?　　　　　　b 我买三瓶水。

(3) How many kilos do you want?　　c 我还要三瓶汽水。

(4) What else would you like?　　　　d 我要两斤。

（五）看拼音写汉字。

(1) mǎi dōngxi

　　—————————

(2) shuǐ hé chá

　　—————————

(3) hái mǎi shénme

　　—————————

附：练习答案

练习5

(1) 买东西

(2) 水和茶

(3) 还买什么

＊ 课堂活动建议

模拟商店：每个学生写出一张购物单，然后按照购物单的内容进行采购。

三、语言点与背景知识提示

（一）量词：瓶、斤

汉语的量词非常丰富，在第一册第五课和第六课中我们学过量词"只"和"个"，如"一只小猫"、"两只狗"、"一个房间"、"十个学生"。本课学习"瓶"和"斤"。"瓶"一般用于瓶装的物质；"斤"是中国传统的计量单位，一斤为500克，相当于1.023磅。常用的搭配有：

　　　　一瓶水、一瓶牛奶、一瓶果汁、一瓶汽水

　　　　一斤苹果、一斤点心、一斤牛肉

（二）数量词单独使用

数词和量词组合在一起可以单独使用，充当句子的主语或宾语。如：

　　　　我买一斤。

　　　　我要两瓶。

　　　　你要几斤？

　　　　一斤多少钱？

（三）连词"和"

"和"作为连词可以连接两个名词或名词词组，如"苹果和牛奶"、"我和你"、"学生的书桌和教师的书桌"。应该注意的是，汉语的"和"只可以连接名词或名词性词组，而不能连接动词和句子，这点与英语的"and"不同。

（四）助动词"要"

我们在第一册第八课中学过表示索取、想得到的"要"，"要"后直接加名词，构成"要＋名词"形式。如："我要苹果。""他要牛奶。"

本课的"要"表示将要、愿望，"要"后直接加动词（或动词词组）。构成"要＋动词（或动词词组）"。如：

　　　　我要买很多东西。

　　　　我要去商店。

第八课　苹果多少钱一斤

教学目标

交际话题：价钱。

语 言 点：苹果多少钱一斤？
　　　　　我要一斤半。

生　　词：多少　钱　块　毛　分
　　　　　猪肉　鸡　一共　零

汉　　字：少　钱　块　分　共

一、基本教学步骤及练习要点

（一）导入：利用实物或图片复习学过的名词及其量词，让学生用英语说出这些东西的价钱，引入本课购物的情景。学习生词，注意提示"块"、"毛"分别是"元"、"角"的口语表达方式。

（二）做练习1，朗读对话，学习生词的使用和主要表达方式。

（1）　A＋多少钱＋一＋量词？

（2）　半

（3）　一共

（三）做练习2，听后选出正确的答案，进一步熟悉生词的发音和意思。

（四）做练习3，听后选择，进一步熟悉词语的使用和意思。

（五）做练习4，朗读，熟悉词语和词语搭配，注意扩展可替换的词语。

（六）做练习5，根据提示完成对话，训练词语和表达方式的使用。可以提供更多物品和价格让学生练习。

（七）做练习6，认读并理解句子，然后与英文进行搭配，进一步掌握本课的句型和词语。

（八）做练习7，翻译，综合本课内容，可进一步让学生模仿说句子进行翻译。

（九）根据学生水平，可选做教师用书中的练习。其中练习1、2帮助学生进一步熟悉词语和句式；练习3问题与回答搭配，熟悉购物的问话方式，为下一步表达做准备；练习4、5说话练习，老师可以先做演示然后让学生分组练习，综合复习本课内容；练习6为汉字书写练习。

附：录音文本

（一）练习2

（1）猪肉　　　（2）鸡　　　（3）十块一瓶

（4）一斤半　　（5）多少钱

（二）练习3

(1) A：你买多少？

　　B：我买四斤半。

(2) A：我要一个面包，还要一瓶汽水，一共多少钱？

　　B：一共六块三毛五分。

二、练习与课堂活动建议

* 练习

（一）把英文写在相应的汉字旁。

money
pork
cent
ten cents
chicken
altogether
how much
yuan

多少 ＿＿＿　　　钱 ＿＿＿

块 ＿＿＿　　　毛 ＿＿＿

分 ＿＿＿　　　猪肉 ＿＿＿

鸡 ＿＿＿　　　一共 ＿＿＿

（二）把相应的拼音、中文、英文连在一起。

(1) Qǐngwèn　　　　　　你买什么？　　　　　What else do you want?

(2) Nǐ mǎi shénme?　　　你还要什么？　　　　What do you want to buy?

(3) Zhūròu duōshao
　　　qián yì jīn?　　　　一共多少钱？　　　　I want two bottles of juice.

(4) Wǒ yào liǎng píng
　　　guǒzhī.　　　　　我要两瓶果汁。　　　Altogether it's 6.25yuan.

(5) Nǐ hái yào shénme?　一共六块两毛五分。　How much is half a kilo of pork?

(6) Yígòng duōshao qián?　猪肉多少钱一斤？　How much is it altogether?

(7) Yígòng liù kuài liǎng
　　　máo wǔ fēn.　　　请问　　　　　　　Excuse me.

（三）看英文问题，选择中文回答。

(1) What do you want to buy?

(2) How much is a bottle of milk?

(3) How many kilos do you want?

(4) What else would you like?

(5) How much is it altogether?

Wǒ mǎi sì jīn.
a. 我买四斤。

Wǒ hái yào yì jīn zhūròu
b. 我还要一斤猪肉。

liǎng kuài wǔ yì píng.
c. 两块五一瓶。

Wǒ mǎi qìshuǐ hé miànbāo.
d. 我买汽水和面包。

Yígòng èrshíyī kuài sān máo.
e. 一共二十一块三毛。

（四）用所给的词语模仿对话。

A：果汁多少钱一瓶？

B：一块九毛一瓶，你要几瓶？

A：我要五瓶。

B：你还要什么？

A：我还要一瓶牛奶。一共多少钱？

B：一共十二块五毛。

píngguǒ	diǎnxin	niúròu
苹果	点心	牛肉
zhūròu	jīdàn	miànbāo
猪肉	鸡蛋	面包
jī	guǒzhī	jīn
鸡	果汁	斤
gè	zhī	píng
个	只	瓶

（五）看图说话

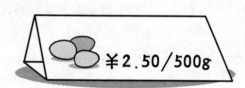

¥2.50/500g

¥2.49/500g

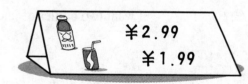

¥2.99
¥1.99

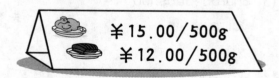

¥15.00/500g
¥12.00/500g

duōshao qián hé hái yígòng
参考词语：多少钱和还一共

duōshao qián yì jīn?
参考句式：……多少钱一斤？

Nǐ hái yào shénme?
你还要什么？

Yígòng duōshao qián?
一共多少钱？

40

（六）看拼音写汉字。

（1）Yígòng duōshao qián?

_____

（2）Niúròu liù kuài yī máo yì fēn yì jīn.

_____ 毛_____ 一 斤。

附：练习答案
练习6
（1）一共多少钱?
（2）牛肉六块一毛一分一斤。

* 课堂活动建议
老师准备一些实物或图片，标明价格。学生两人一组配合，一买一卖，限时三分钟，看哪一组卖的商品最多，并且表达得准确清楚。

 三、语言点与背景知识提示

（一）用"多少"提问
第一册第十三课我们学过"几"的用法，用来提问十以下的数字。如："现在几点？"提问"十"以上的数字时，用"多少"，如："一共多少钱？""你们班有多少个学生？"用"多少"提问价格时，一般有两种方式：

（1）名词＋多少钱＋一＋量词？　　（2）一＋量词＋名词＋多少钱？

苹果多少钱一斤？　　　　　　　一斤苹果多少钱？

汽水多少钱一瓶？　　　　　　　一只鸡多少钱？

面包多少钱一个？　　　　　　　一瓶牛奶多少钱？

（二）"半"
数词"半"表示二分之一、一半。没有整数单独使用时用在量词前，如"半斤"、"半年"、"半个月"。如果有整数与其他数词一起出现时，则要用在量词之后，如"一斤半"、"两年半"、"三个半月"。

（三）中国的货币是人民币。货币单位为元、角、分，口语中说块、毛、分。现行的人民币纸币面值分别有：100元、50元、20元、10元、5元、2元、1元、5角、2角、1角。硬币有1元、5角、1角、5分、2分、1分。

China's currency is the Renminbi. The units of currency are the 'yuan', the 'jiao' and 'fen', though in spoken Chinese these are often referred to as 'kuai', 'mao' and 'fen' respectively. Currently the Renminbi has the following denomination notes in circulation: 100yuan, 50yuan, 20yuan, 10yuan, 5yuan, 2yuan, 1yuan, 5jiao, 2jiao, 1jiao and the following coins: 1yuan, 5jiao, 1jiao, 5fen, 2fen, 1fen.

第九课
这件衣服比那件贵一点儿

教学目标

交 际 话 题：事物比较。

语 言 点：这件衣服比那件贵一点儿。

那件衣服没有这件衣服漂亮。

他的自行车跟我的自行车一样。

我的爱好跟你的爱好不一样。

生 词：自行车 跟 一样 件 衣服

贵 一点儿 便宜

汉 字：衣 件 自 行 样

 一、基本教学步骤及练习要点

（一）导入：利用学生的物品或图片进行比较，可以用英语讨论它们是否相同，也可以让学生说出这些东西的不同价格，引入本课关于比较的情景，学习生词。

（二）做练习1，朗读对话，学习生词的使用和主要表达方式：

（1）A 跟 B＋一样／不一样

（2）A 比 B＋形容词＋一点儿

（3）A 没有 B＋形容词

（三）做练习2，进一步熟悉生词的发音和意思。

（四）做练习3，听后判断，理解句子的意思。

（五）做练习4，认读句子，可以让学生说出英文的意思。

（六）做练习5，根据提示完成对话，训练词语和表达方式的使用。

（七）做练习6，理解句子的意思并与英文进行搭配，进一步加强认读理解能力。

（八）做练习7，翻译，结合学过的内容和本课语言点，可以进一步让学生模仿，根据实际情况造句，请其他同学翻译。

（九）根据学生水平，可选做教师用书中的练习。其中练习1帮助学生进一步熟悉词语；练习2进一步熟悉理解句式表达；练习3看图说话，综合复习本课内容；练习4朗读句子后得出结论，既练习认读又练习表达；练习5是汉字书写练习。

附： 录音文本和练习答案

（一）练习2

（1）汽车 　　（2）自行车 　　（3）衣服 　　（4）便宜

（5）一样的书 　　（6）不一样的书 　　（7）贵

（二）练习3

(1) A：这件衣服漂亮吗?

B：这件衣服没有那件衣服漂亮。

那件衣服漂亮。（√）

(2) Tom 的自行车 90 块，Mary 的自行车 99 块。

Tom 的自行车比 Mary 的自行车贵一点儿。（×）

(3) 明明的爱好是运动，丽丽的爱好也是运动。

明明的爱好跟丽丽的爱好不一样。（×）

 二、练习与课堂活动建议

* 练习

（一）把英文写在相应的汉字旁。

expensive

cheap

bicycle

clothes

same

with

a little

mine

我的_____　　一样_____

便宜_____　　一点儿_____

贵_____　　跟_____

自行车_____　　衣服_____

（二）把配图和相应的中文连在一起。

这个花园比那个花园大一点儿。

这件衣服没有那件衣服漂亮。

他的书桌比我的书桌干净。

他的书架没有我的书架整齐。

小海的爱好跟丽丽的爱好不一样。

（三）看图说话。

参考词语：比、没有、一点儿、一样
　　　　　bǐ　méi yǒu　yìdiǎnr　yíyàng

参考句式：A比B…一点儿
　　　　　bǐ　　yìdiǎnr

　　　　　A没有B…
　　　　　méi yǒu

　　　　　A跟B一样／不一样
　　　　　gēn　yíyàng　bù yíyàng

（四）朗读后说句子。

例句：他家有六个房间，我家有五个房间。
　　　Tā jiā yǒu liù gè fángjiān,　wǒ jiā yǒu wǔ gè fángjiān.

　　A　他家比我家大一点儿。
　　　　Tā jiā bǐ wǒ jiā dà　yìdiǎnr.

　　B　我家比他家小一点儿。
　　　　Wǒ jiā bǐ tā jiā xiǎo　yìdiǎnr.

　　C　我家没有他家大。
　　　　Wǒ jiā méi yǒu tā jiā dà.

(1) 我的衣服80块，他的衣服90块。
　　Wǒ de yīfu　kuài,　tā de　yīfu　kuài.

　　A

　　B

　　C

(2) 这个自行车漂亮，那个自行车很漂亮。
　　Zhè ge zìxíngchē piàoliang, nà ge　zìxíngchē hěn piàoliang.

　　A

　　B

　　C

44

Lìli xǐhuan yīnyuè, Míngmíng yě xǐhuan yīnyuè, wǒ xǐhuan yùndòng.
(3) 丽丽喜欢音乐，明明也喜欢音乐，我喜欢运动。

        A

        B

        C

（五）看拼音写汉字。

(1) Wǒ qù mǎi dōngxi, wǒ mǎi yí jiàn yīfu.

_____服。

(2) Wǒ de zìxíngchē gēn tā de zìxíngchē bù yíyàng.

_____跟_____。

附：练习答案

练习5

(1) 我去买东西，我买一件衣服。

(2) 我的自行车和他的自行车不一样。

* 课堂活动建议

（一）比个子：老师让几个高矮不同的学生站出来，其他学生轮流对他们的个子进行比较，说出"……比……高一点儿"或"……没有……高"，最后排出高矮顺序。

（二）用同样方法比较这些学生的其他方面或其他事物，如：比较学生的爱好，比较学生的书桌，比较学生的书等等。

三、语言点与背景知识提示

（一）A 比 B＋形容词＋一点儿

在汉语中，用"比"是最常见的一种比较句。我们在本册第二课已经学过"比"的一种用法，即"A 比 B＋形容词"，如"他比我高"、"他比我大"。 这里介绍的是这种用法的扩展，即"A 比 B＋形容词＋一点儿"。如：

    这件衣服比那件衣服贵一点儿。

    我家的花园比他家的花园漂亮一点儿。

（二）A 没有 B＋形容词

除了我们学过的用"比"的比较句外，用"没有"比较也是常用的一种方式。本课学习"A 没有 B＋形容词"，表示 A 在某一方面不如 B。如：

    这件衣服没有那件衣服漂亮。

    我家的花园没有他家的花园大。

如果 A 和 B 都是名词性词组，而且中心语名词相同，那么 B 中的中心语常常省去。如：

> 这件衣服没有那件衣服漂亮。
> 这件衣服没有那件漂亮。

> 这个花园没有那个花园大。
> 这个花园没有那个大。

（三）A 跟 B 一样／不一样

"A 跟 B 一样"也是汉语中常用的一种比较句，表示前后两个事物相同。本课只介绍最基本的用法，即"A 跟 B 一样"。如：

> 我的自行车跟他的自行车一样。
> 小海的爱好跟明明的爱好一样。

否定式为"A 跟 B 不一样"，如：

> 我的自行车跟 Tom 的自行车不一样。

（四）偏旁部首

构成汉字（主要是合体字）的组成部分称为"偏旁"，如"妈"，"女"和"马"都是它的偏旁，又如"花"，也有两个偏旁"艹"和"化"。把同样的偏旁进行归类就成了部首，同一部首的字在字义上有一定的联系。如我们学过的"汽、沙、海、洗、洲、酒"都有三点水旁"氵"，这一部首的字一般与水有关，"茶、节、草、药"中有草字头"艹"，一般与草有关，还有单立人旁"亻"与人有关，提手旁"扌"与手有关，"疒"与疾病有关，"讠"（言字旁)有关言语，"钅"（金字旁）表示金属等。

（五）中国被称为"自行车的王国"，自行车是人们最重要的交通工具。调查表明，在中国的大部分城市里，平均每个家庭有两辆自行车。

China has been called the 'Kingdom of bicycles'. Bicycles are the people's most important means of transport and alternative to walking. Surveys show that in the majority of Chinese cities each family owns an average two bicycles.

第三单元测验

1、听后选择。

Tāmen yào shénme?
他们 要什么?

小海							
丽丽							
我和妈妈							

2、听录音填空。

Duōshao qián?
多少钱?

(1) 　(2) 　(3)

3、看图说话。

参考词语：跟、一样、不一样

参考词语：爱好、跟、一样、不一样

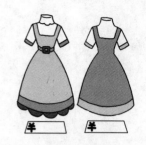

参考词语：贵、便宜、漂亮、
一点儿、比、没有

4、模仿例句说一说。

例如：我的桌子跟哥哥的桌子不一样，他的桌子比我的桌子大一点儿，他的桌子没有我的桌子漂亮。

5、阅读后选择正确答案填空。

果汁 17.60	四瓶水 32.00	四斤苹果 6.80	点心 14.05
猪肉 9.80	一件衣服 100.00	自行车 248.00	

Duōshǎo qián?
多少钱？

17.60				

6、阅读后选择正确的配图。

（1）今天是星期六，我要买很多东西。我要买三瓶牛奶和十瓶水，还要买一只鸡和两斤半猪肉。

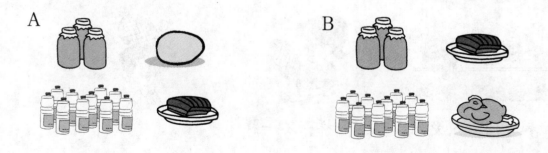

A

B

(2) 明明的爱好是游泳，Mary 的爱好也是游泳，小海的爱好跟他们的爱好一样。

A

B

(3) Mike 今年十四岁，我也十四岁，他的生日是一月，我的生日是十二月，他比我大一点儿，他没有我高。

A

B

7、写汉字。

(1) Wǒ bù mǎi hěn duō dōngxi, wǒ yào yí jiàn yīfu hé yí ge zìxíngchē,

_____服_____

yígòng duōshao qián?

_____?

(2) Yì píng shuǐ yí kuài líng liù fēn, nà píng shuǐ gēn zhè píng

___瓶_____零_____，_____瓶_____跟_____

shuǐ yíyàng.

_____。

8、翻译。

(1)今天是星期六，我要买很多东西。

(2)我要十瓶水和两斤点心，还要买一斤半猪肉和一只鸡，多少钱？

(3)一共九十七块八毛零六分，不很贵。

(4)这个自行车跟我的自行车一样，那件衣服没有我的衣服漂亮，比我的衣服便宜一点儿。

第三单元测验部分答案

1、听后选择

(1) A：小海，你要什么？

    B：我要三瓶水和六个鸡蛋。

(2) A：丽丽，你要水吗？

    B：我不要，我要果汁。

    A：你还要什么？

    B：还要一斤点心。

(3) A：妈妈，我们要鸡蛋吗？

    A：要，还要一只鸡和两斤猪肉。

    B：我还想要果汁。

    A：你要几瓶？

    B：要两瓶。

答案：

小海	✓		✓				
丽丽		✓			✓		
我和妈妈		✓	✓	✓		✓	

2、听录音填空。

(1) A：请问，汽水多少钱一瓶？

    B：两块零五分一瓶。你要几瓶？

    A：我要两瓶。

(2) A：你要什么？

    B：我要点心，多少钱一斤？

    A：两块四毛九一斤，你要几斤？

    B：我要二斤半。

(3) A：我想要这件衣服，多少钱？

　　　B：九十八块。

　　　A：很贵。那件多少钱？

　　　B：那件便宜，六十八块。

5、阅读后选择正确答案填空

17.60	32.00	14.05	100.00	248.00

6、阅读后选择正确的配图。

(1) 图 B

(2) 图 A

(3) 图 B

7、写汉字。

(1) 我不买很多东西，我要一件衣服和一个自行车，一共多少钱？

(2) 一瓶水一块零六分，那瓶水跟这瓶水一样。

第十课　你今天上了什么课

教学目标

交 际 话 题：谈课程。

语 言 点：你今天上了什么课？

我今天上了体育课。

你明天有什么课？

我明天有汉语课。

生　　　词：德语　历史　地理　数学

明天　上(课)　了

汉　　　字：历　史　地　理　了

 一、基本教学步骤及练习要点

（一）导入：给学生出示实际的课程表（英文的），让他们试着用汉语说出上面的课程，启发他们回忆学过的表达课程的词语：汉语、法语、体育等。提示出本课要学习的课程名称：历史、地理、音乐、美术。领读生词表，让学生有初步印象。

（二）问学生：你喜欢什么课？让学生用英语或汉语自由回答。

（三）做练习1，通过朗读让学生熟悉本课的词语和句型，并复习一些课程名称。

（四）做练习2、练习3，提示学生注意录音中的课程名称，建立词语发音与意义的联系。

（五）做练习4，进一步熟悉本课的词语及其搭配。

（六）讲解本课主要句型的结构和意义。

主语＋时间词语＋动词＋了＋宾语

你今天上了什么课？

我今天上了历史课。

（七）做练习5，可分组进行，先朗读，再用提示的词语对话。

（八）要求学生用一些替换的方式表达自己的实际情况,如告诉别人自己今天上了什么课，明天有什么课等，尽量说出自己知道的课程名称。

（九）做练习6，通过英汉对应进一步掌握本课词语。

（十）做练习7,通过翻译练习掌握基本句型，练习的内容也涉及到一些已经学过的语言点。

（十一）根据学生的水平，选做一些教师用书中的练习。

(1) 练习1、练习2是巩固本课词语的汉字和拼音、汉语和英语的对应关系。

(2) 练习3是自由谈话练习，要求学生利用本课学习的句型和词语进行口头交际活动，适合分组活动。

(3) 练习4的翻译练习可以先朗读，这个练习可以复习和巩固以前所学的词语和句型。

(4) 练习5练写，要求学生把能书写的汉字词语综合起来，根据拼音写句子。

附： 录音文本和练习答案

（一）练习2

(1) 我是 Ann，我喜欢德语课。

(2) 我是 Tom，我喜欢汉语课。

(3) 我是丽丽，我喜欢地理课。

(4) 我是小海，我喜欢历史课。

(5) 我是 Mike，我喜欢音乐课。

(6) 我是 Mary，我喜欢数学课。

（二）练习3

我是 Mike，我今天上了德语课和汉语课，我明天有音乐课和法语课。

我是 Tom，我今天上了体育课和数学课，我明天有历史课和地理课。

我是丽丽，我今天上了德语课和数学课，我明天有汉语课和历史课。

我是小海，我今天上了体育课和汉语课，我明天有地理课和音乐课。

我是 Mary，我今天上了音乐课和法语课，我明天有体育课和历史课。

答案：

	Mike	Tom	丽丽	小海	Mary
Today	D G	H C	D C	H G	E F
Tomorrow	E F	A B	G A	B E	H A

 二、练习与课堂活动建议

* 练习

（一）给词语注拼音。

音乐	明天	数学	上课	法文
德语	汉语	历史	地理	数学

（二）英语、汉字、拼音对应。

（1）汉语
（2）地理
（3）音乐
（4）德语
（5）历史
（6）数学
（7）明天
（8）上课

Déyǔ
（1）Hànyǔ
míngtiān
lìshǐ
dìlǐ
shùxué
yīnyuè
shàng kè

German
go to class
（1）Chinese
history
geography
mathematics
music
tomorrow

（三）朗读对话并模仿范例进行对话。

Nǐ jīntiān shàngle shénme kè?
A：你今天上了什么课？

Wǒ jīntiān shàngle Hànyǔkè.
B：我今天上了汉语课。

Nǐ míngtiān yǒu shénme kè?
A：你明天有什么课？

Wǒ míngtiān yǒu Déyǔkè hé yīnyuèkè, nǐ ne?
B：我明天有德语课和音乐课，你呢？

Wǒ yǒu lìshǐkè hé tǐyùkè.
A：我有历史课和体育课。

Nǐ jīntiān shàngle shénme kè?
A：你今天上了什么课？

Wǒ jīntiān shàngle
B：我今天上了……

Nǐ míngtiān yǒu shénme kè?
A：你明天有什么课？

Wǒ míngtiān yǒu nǐ ne?
B：我明天有……，你呢？

Wǒ yǒu
A：我有……

（四）根据拼音写汉字。

（1）Wǒ jīntiān shàngle lìshǐkè.

——————————————————。

（2）Wǒ péngyou shàngle dìlǐkè.

——————————————————。

（五）朗读并翻译。

(1) Jīntiān shì xīngqīyī, wǒ shàng le lìshǐkè hé yīnyuèkè, wǒ xǐhuan yīnyuèkè.
今天 是 星期一，我 上 了 历史课和音乐课，我喜欢音乐课。

(2) Míngtiān shì xīngqī'èr, wǒ yǒu Déyǔkè hé tǐyùkè. Wǒ zài jiàoshì shàng
明天是星期二，我有德语课和体育课。我在教室上

Déyǔkè, zài yùndòngchǎng shàng tǐyùkè.
德语课，在运动场上体育课。

(3) Xīngqīliù wǒ méi yǒu kè, wǒ qù túshūguǎn, wǒ xiǎng zài túshūguǎn kàn
星期六我没有课，我去图书馆，我想在图书馆看

Zhōngwénshū.
中文书。

附：练习答案

练习4

(1) 我今天上了历史课。

(2) 我朋友上了地理课。

* **课堂活动**

(一)鼓励学生翻译自己的课程表,并通过查词典或其他方式了解还没有学到的课程名称。

(二) 请学生轮流上台用英语描述某个课程，让其他同学猜是什么课，并要用汉语说出来。如:老师带来地图、地球仪——地理;不在教室里，常常在运动场上的课——体育。

三、语言点与背景知识提示

动词＋了＋宾语

汉语有两个"了":一个"了"用在动词后,一个用在句尾。本课学习的是动词后的"了",一般表示动作的完成或实现。如:

　　我今天上了汉语课。

　　他去了图书馆。

　　我吃了一个苹果。

　　我看了一本书。

运用时应注意两点:

(1) 如果动词表示经常性动作,则不能加"了"。如不能说:"我每天去了学校。"

(2) "动词＋了＋宾语"的否定形式是"没（有）＋动词＋宾语,"否定形式中不能出现"了"。如:

　　我今天上了汉语课。　→　我今天没（有）上汉语课。

　　他去了图书馆。→他没(有)去图书馆。

第十一课 汉语难不难

教学目标

交际话题：评论课程。

语言点：汉语难不难？
汉语不难。

生　词：作业 考试 科目 中学 难 容易
有意思

汉　字：业 科 目 意 思

 一、基本教学步骤及练习要点

（一）导入：问学生在中学时都有什么课程（科目），让他们用汉语或英语自由表达，哪种课难／容易等。领读生词，重点指出几个形容词：难、容易、有意思等。

（二）做练习1，读的过程中引导学生理解句子的意思，掌握本课词语发音和基本句型。

（三）做练习2，重点熟悉词语的意思。

（四）做练习3，引导学生熟悉提问和回答的方式，尤其注意"形容词＋不＋形容词"的提问方式，如"多不多""难不难"等的意思。

（五）讲解本课重点句型：

主语＋形容词＋不＋形容词 ？

汉语难不难？

历史作业多不多？

地理考试容易不容易？

（六）做练习4，让学生进一步熟悉本课词语的发音和意义。有的搭配可以指导学生用学过的词语进行一些扩展，如：英语作业——法语作业——地理作业；地理考试——历史考试——德语考试等。

（七）做练习5，让学生先熟读对话，再指导他们两人一组对话，用图框中的词语替换，教师应先示范。

（八）做练习6，结合朗读和认读理解两个方面进行训练。让学生先读并理解句意，再此基础上搭配问句和答句，进一步掌握本课句型的用法。

（九）做练习7，通过翻译综合理解本课的语言内容，并复习学过的词语和句型。

（十）根据学生的水平，选择一些教师用书中的练习。

（1）练习1让学生进一步掌握本课生词的形、音、义。

（2）练习2引导学生掌握一些形容词的基本用法。

（3）练习3是自由表达训练，提供的例子可供学生模仿，教师可鼓励和引导学生尽量表达自己的看法。

（4）练习5可以让学生认读与书面翻译，也可以采取教师念句子，学生口头翻译的形式，应根据学生水平和课堂教学安排选择。这个练习可以复习学过的句型。

附：录音文本和练习答案

（一）练习2

（1）中学	（2）容易	（3）科目	（4）作业	（5）历史考试
（6）考试	（7）汉语考试	（8）很难	（9）不容易	（10）有意思

答案：

10	5	7	1	4
2	6	8	9	3

（二）练习3

（1）问：Ann，今天的作业多不多？

　　答：今天作业不多。

（2）问：小海，地理考试难不难？

　　答：地理考试不难。

（3）问：Tom，你喜欢法语课吗？

　　答：我喜欢，法语课很有意思。

（4）问：Mary，中学科目多不多？

　　答：中学科目很多，也很有意思。

答案：

（1）×　（2）✓　（3）×　（4）×

二、练习与课堂活动建议

* 练习

（一）给词语配上拼音和英语。

(1) 多	zuòyè	easy
(2) 科目	kǎoshì	1 many
(3) 有意思	kēmù	subject
(4) 难	zhōngxué	examination
(5) 作业	róngyì	difficult
(6) 中学	yǒuyìsi	exercise/homework
(7) 考试	1 duō	secondary school
(8) 容易	nán	interesting

（二）选择词语填空。

A 难 (nán)   B 容易 (róngyì)   C 大 (dà)

D 冷 (lěng)   E 有意思 (yǒuyìsi)   F 多 (duō)

(1) 汉语考试（   ）不（   ）？
Hànyǔ kǎoshì bù

(2) 你的教室（   ）不（   ）？
Nǐ de jiàoshì bù

(3) 历史考试不（   ）。
Lìshǐ kǎoshì bù

(4) 汉语课很（   ）。
Hànyǔkè hěn

(5) 天安门广场很（   ）。
Tiān'ānmén Guǎngchǎng hěn

(6) 昨天不（   ），今天很（   ）。
Zuótiān bù   jīntiān hěn

(7) 中学科目很（   ）。
Zhōngxué kēmù hěn

（三）小组活动：模仿Mary和明明说一说自己的课程。

Mary:

中学的科目很多，我喜欢历史，不喜欢数学。历史课有意思，作业
Zhōngxué de kēmù hěn duō, wǒ xǐhuan lìshǐ, bù xǐhuan shùxué. Lìshǐkè yǒuyìsi, zuòyè

不多，考试不难……
bù duō   kǎoshì bù nán

58

Mingming
明明：

Zhōngxué de kēmù hěn yǒuyìsi, wǒ xǐhuan Yīngyǔ hé yīnyuè bù xǐhuan dìlǐ hé
中学 的 科目 很 有意思， 我 喜欢 英语 和 音乐，不 喜欢 地理 和

shùxué. Shùxué kǎoshì hěn nán
数学 。数学 考试 很 难……

（四）用汉语写出下列词语和句子。

（1）Jīntiān wǒ yǒu yīnyuèkè.

_____。

（2）Yīnyuèkè yǒuyìsi.

_____。

（五）翻译。

（1）我是中国人，我在中学上课。中学科目很多。我今天上了德语课和法语课。德语作业不多，法语作业很多。

（2）我今天有数学课，数学课很有意思。今天的作业比昨天的作业多。

（3）我明天有英语课，英语作业比数学作业容易。我和朋友每天看英文书。

附：练习答案

（一）练习2

（1）汉语考试（ 难 / 容易）不（难 / 容易 ）？

（2）你的教室（ 大 ）不（ 大 ）？

（3）历史考试不（ 难 / 容易 ）。

（4）汉语课很（ 有意思 / 难 / 容易 ）。

（5）天安门广场很（ 大 ）。

（6）昨天不（ 冷 ），今天很（ 冷 ）。

（7）中学科目很（ 多 / 有意思 ）。

（二）练习4

（1）今天我有音乐课。

（2）音乐课有意思。

 三、语言点与背景知识提示

用"形容词＋不＋形容词"提问

汉语中，形容词或动词的肯定形式和否定形式并列起来可以构成疑问句。

本课学习用"形容词＋不＋形容词"提问，基本句型是：主语＋形容词＋不＋形容词 ？例如：

汉语课难不难？

你们的教室大不大？

59

今天冷不冷？

这座山高不高？

注意："有意思"一词在本课作为一个词整体列出，它的否定形式是"没有意思"或"没意思"。所以，如果要构成这种疑问句，应该为："有没有意思"或"有意思没有意思"。考虑到教学容量，本课练习没有涉及这个问题。

第十二课　来打乒乓球吧

教学目标

交 际 话 题：谈课外活动。

语 言 点：来打乒乓球吧！
　　　　　　我们去打羽毛球。
　　　　　　你们踢不踢足球？

生 　 　 词：来　乒乓球　羽毛球　踢
　　　　　　足球　学（习）书法

汉 　 　 字：习　足　毛　来　踢

 一、基本教学步骤及练习要点

（一）导入：问学生课外喜欢做什么活动，老师一边做一些运动或活动，让学生用英语或汉语说出他们的名称：打篮球、打乒乓球、打羽毛球、打网球、看书、学习书法等。然后，老师一边做一边用汉语说出这些动作。

（二）带读生词表，熟悉活动的名称。

（三）做练习1，教师领读时应从语调强调出正反问句。

（四）做练习2、练习3，通过听力训练熟悉本课的词语和主要句型。

（五）做练习4，进一步熟悉本课词语的发音，了解词语的搭配习惯。

（六）引导学生理解本课的语言点。

句尾用"吧"表示建议或请求：

　　来吧！

　　来打乒乓球吧！

主语＋动词＋不＋动词（＋宾语）？

　　你打不打乒乓球？

　　你们看不看电影？

　　他学习不学习书法？

主语＋来／去＋动词＋宾语

　　他来打乒乓球。

　　我去打羽毛球。

（七）做练习5，先朗读，熟悉基本句型后，再用提示词语进行对话，鼓励学生尽量多替换些词语进行对话。

（八）做练习6、练习7，通过英语和拼音对应练习以及翻译训练巩固本课语言学习内容，并复习以前学过的词语和句型。

61

（九）根据学生的水平，选择一些教师用书中的练习。

（1）练习1、练习2 是进一步熟悉本课主要词语的形音义。

（2）练习3是词组转换句子的练习，适合分组进行，可以训练学生的灵活运用语言的能力。

（3）练习4 是认读和翻译的综合训练，难度比学生用书中的练习有所增加。

（4）练习5 结合句子表达练习汉字的书写。

附：录音文本

（一）练习2

小红打篮球。

Tom 打羽毛球。

丽丽打乒乓球。

小海学习书法。

Mary 打网球。

Ann 看书。

Mike 踢足球。

（二）练习3

（1）A：Ann，你们去哪儿？

B：我们去运动场。我们去打篮球。

（2）A：Mike，你打不打乒乓球？

B：我不会打乒乓球。

（3）A：丽丽，来吧，来打网球吧

B：Tom，我最喜欢网球。

（4）A：Mary，你去哪儿？

B：我去电影院看电影。

二、练习与课堂活动建议

* 练习

（一）给下列图画配上拼音。

| dǎ lánqiú | dǎ yǔmáoqiú | dǎ pīngpāngqiú | tī zúqiú |
| yóuyǒng | kàn shū | kàn diànyǐng | xuéxí shūfǎ |

（二）汉语对应英语。

打篮球		play table tennis
看电影		play basketball
学习书法		play tennis
学习中文		play badminton
打乒乓球		study calligraphy
看书		read book
打羽毛球		play football
打网球		see a film
踢足球		study Chinese

（三）两人一组，仿照例句提问并回答。

打网球	A：你打不打网球？	B：我打网球。 我不打网球，我打篮球。
打乒乓球		
打篮球		
看书		
学习书法		
打羽毛球		
踢足球		

（四）翻译并对应下列问句和答句。

Nǐmen qù yóuyǒng ma?
(1) 你们去游泳吗？

Wǒ bú qù yùndòngchǎng.
a. 我不去运动场。

Nǐmen dǎ bù dǎ yǔmáoqiú?
(2) 你们打不打羽毛球？

Wǒ xuéxí shūfǎ.
b. 我学习书法。

Nǐ xiǎng dǎ pīngpāngqiú ma?
(3) 你想打乒乓球吗？

Wǒmen qù yóuyǒng.
c. 我们去游泳。

Nǐ qù bú qù yùndòngchǎng?
(4) 你去不去运动场？

Wǒ xiǎng dǎ pīngpāngqiú.
d. 我想打乒乓球。

Nǐ xuéxí bù xuéxí shūfǎ?
(5) 你学习不学习书法？

Wǒmen bú huì tī zúqiú.
e. 我们不会踢足球。

Nǐmen tī bù tī zúqiú?
(6) 你们踢不踢足球？

Wǒmen bù dǎ yǔmáoqiú.
f. 我们不打羽毛球。

（五）根据英文和拼音写汉字。

(1) I am going to play tennis.

Wǒ qù dǎ wǎngqiú.

_____。

(2) I am reading books in the library.

Wǒ zài túshūguǎn kàn shū.

_____。

附：练习答案

练习5

(1) 我去打网球。

(2) 我在图书馆看书。

*　课堂活动

（一）一人上台做某种活动的动作，让其他同学用汉语说出他的动作。如打乒乓球、打羽毛球等。

（二）分组竞赛。一组描述某种运动项目或某种课外活动，如看电影等（用英语），另一组用汉语说出。两组轮流担任"说"与"猜"的角色。

 三、语言点与背景知识提示

（一）语气词"吧"

"吧"放在句尾，可以表示建议、请求等。如：

　　大家来跳舞吧！

　　我们去看电影吧！

　　今天咱们就别去了吧！

（二）主语＋来／去＋动词＋宾语

在第一册第23课学习了一种连动句，即前一动词（或动词词组）表示动作方式的句子。如：

我坐飞机去上海。

他开车去饭店。

妈妈坐火车去广州。

本课学习另一种形式的连动句：主语＋来／去＋动词＋宾语。这种句型中后一个动词（或动词词组）常常表示前一个动词（或动词词组）的目的。如：

我们来上课。

我们去踢足球。

他们去打羽毛球。

（三）用"动词＋不＋动词"提问

本书第11课学习了用"形容词＋不＋形容词"提问的正反疑问句。如：

汉语难不难？

作业多不多？

今天冷不冷？

本课学习用"动词＋不＋动词"提问的疑问句。在第一册第16课已经学习了由动词"是"构成的"动词＋不＋动词"的提问形式。如：

你是不是医生？

他是不是教师？

本课学习由其他动词构成的这种提问方式。如：

你打不打乒乓球？

你看不看电影？

你去不去图书馆？

她学习不学习书法？

（四）汉字的结构方式

由偏旁组成的合体汉字有一定的规律，这就是汉字的结构方式。汉字基本的结构方式有以下几种：

左右结构：　你、好

上下结构：　星、英

左中右结构：树、哪

上中下结构：草、答

半包围结构：用、远

全包围结构：园、国

学习汉字的结构方式，可以使得汉字书写工整，也可以逐步帮助学生了解汉字、分析汉字。本册教师用书以下的各个单元将联系常用汉字的书写对各种结构方式进行具体介绍。

（五）中国中学的课外活动

中国的中学，学生在课余时间有很丰富的课外活动，如打乒乓球、踢足球、打篮球、打排球、学习画画、学习书法、学习演奏乐器等。学校一般会组织各种课外活动小组或社团，如文学社、武术社、音乐社、漫画社。很多学校还有学生合唱团、乐队以及各种运动队，如篮球队、乒乓球队、足球队、田径队等。学生可以根据自己的兴趣报名参加。

Chinese Secondary School Extra-curricular Activities

Chinese secondary school students enjoy a rich variety of extra-curricular activities in their spare time, for example: playing table tennis, football, basketball, volleyball, studying painting, calligraphy, playing a musical instrument etc. The school generally organises the extracurricular activities clubs and societies, such as: the literature society, martial arts society, music society, cartoon society. Many schools also have student choirs, bands and sports teams, for example: basketball team, table tennis team, football team, athletics team. Students can participate in whichever of these they are interested.

第四单元测验

1、听录音判断正误。

(1) Tom likes mathematics .( )

(2) Lili has music classes tomorrow and she likes it very much.( )

(3) Xiaohai has a history examination today and it is not easy.( )

(4) Mary likes playing tennis and table tennis. ( )

(5) Mike is going to play basketball. ( )

(6) Mingming is going to see a film.( )

2、根据提示的词语和句型谈谈自己的课。

Wǒ jīntiān shàngle Hànyǔkè hé
我 今 天 上 了 汉 语 课 和 ……

Wǒ míngtiān yǒu Fǎyǔkè hé
我 明 天 有 法 语 课 和 ……

Yīnyuèkè hěn yǒuyìsi,
音 乐 课 …… 很 有 意 思 ,

Wǒ zuì xǐhuan bù xǐhuan yīnyuèkè
我 最 喜 欢 / 不 喜 欢 音 乐 课 ……

Lìshǐkè kǎoshì bù nán bù róngyì
历 史 课 …… 考 试 不 难 / 不 容 易

Dìlǐkè zuòyè bù duō hěn duō
地 理 课 …… 作 业 不 多 / 很 多

3、给下列词语对应拼音。

(1) 历史考试   (2) 数学作业   (3) 中学科目   (4) 上地理课

(5) 打乒乓球   (6) 德语不难   (7) 打羽毛球   (8) 学习书法

a.shùxué zuòyè   b.zhōngxué kēmù   c.shàng dìlǐkè   d.xuéxí shūfǎ

e.dǎ yǔmáoqiú   f.lìshǐ kǎoshì   g.dǎ pīngpāngqiú   h.Déyǔ bù nán

4、给问题找到相应的回答。

(1) 你今天上了什么课?

(2) 汉语课难不难?

(3) 来吧,来打乒乓球吧!

(4) 你妈妈买了什么水果?

(5) 你弟弟踢不踢足球？

(6) 历史考试容易不容易？

(7) 你明天有音乐课吗？

(8) 你的作业多不多？

a. 他很喜欢踢足球。

b. 我不会打乒乓球，我去打羽毛球。

c. 她买了很多苹果。

d. 历史考试不容易。

e. 今天的作业不多。

f. 我今天上了体育课和汉语课。

g. 汉语课不难，汉语课很有意思。

h. 今天我上了法语课和汉语课。

i. 我们明天有音乐课和德语课。

5、根据拼音写汉字。

(1) Hànyǔ zuòyè bù duō, dìlǐ zuòyè hěn duō.

_____。

(2) Tī zúqiú yǒuyìsi, wǒmen lái tī zúqiú.

_____。

(3) Zhōngxué de kēmù hěn duō.

_____。

6、汉译英。

(1) Wǒ shì Měiguórén, wǒ zài Měiguó de zhōngxué shàng kè, zhōngxué kēmù hěn duō, yě hěn

我是美国人，我在美国的中学上课,中学科目很多，也很

yǒuyìsi. Wǒ zuì xǐhuan lìshǐkè hé shùxuékè.

有意思。我最喜欢历史课和数学课。

(2) Wǒ hé mèimei dōu xuéxí Hànyǔ. Wǒ jīntiān shàngle Hànyǔkè, wǒ mèimei míngtiān yǒu

我和妹妹都学习汉语。我今天上了汉语课，我妹妹明天有

Hànyǔkè. Hànyǔ zuòyè bù nán, Hànyǔ kǎoshì yě hěn róngyì. Wǒmen dōu xǐhuan shuō Hànyǔ.

汉语课。汉语作业不难，汉语考试也很容易。我们都喜欢说汉语。

(3) Wǒmen bān de xuésheng dōu xǐhuan dìlǐkè. Jīntiān wǒmen xuéxíle Zhōngguó dìlǐ.

我们班的学生都喜欢地理课。今天我们学习了中国地理。

Zhōngguó hěn dà, rén hěn duō, yǒu hěn duō piàoliang de dìfang.

中国很大,人很多,有很多漂亮的地方。

第四单元测验部分答案

1、听录音判断正误。

（1）我是Tom，我今天上了历史课和数学课。我很喜欢历史课，我不喜欢数学课。

（2）我是丽丽，我明天有法语课和音乐课。音乐课很有意思，音乐作业不多。

（3）我是小海，我今天有历史考试。历史考试很难。历史课很有意思。

（4）我是Mary，我会打乒乓球，不会打网球。我每天打乒乓球。

（5）我是Mike，我会打篮球，我不会踢足球，我去运动场，我去打篮球。

（6）我是明明，我喜欢电影，我不喜欢电视。我去看电影。

答案：

（1）×　　　（2）√　　　（3）√　　　（4）×　　　（5）√　　　（6）√

3、给下列词语对应拼音。

（1）f　　（2）a　　（3）b　　（4）c　　（5）g　　（6）h　　（7）e　　（8）d

4、给问题找到相应的回答。

（1）f　　（2）g　　（3）b　　（4）c　　（5）a　　（6）d　　（7）i　　（8）e

5、根据拼音写汉字。

（1）汉语作业不多，地理作业很多。

（2）踢足球有意思，我们来踢足球。

（3）中学的科目很多。

第十三课　明天有小雨

教学目标

交 际 话 题： 天气和季节。

语 言 点： 今天是晴天。

明天有小雨。

北京的春天常常有风。

秋天是北京最好的季节。

生 词： 晴天　雨　春天　常常

风　秋天　最　季节

汉 字： 明　雨　春　风　最

 一、基本教学步骤及练习要点

（一）导入：复习"今天、昨天、冷、热"等有关天气的词语。看第二幅图，简单说明北京的四季非常分明，夏天很热，冬天很冷，春天有风，秋天最好。老师领读生词表。

（二）做练习1，练习目的是了解本课的主要句型和内容。

（三）做练习2，根据录音内容在相应的生词下面标号。练习目的是熟悉本课生词的发音。

（四）做练习3，根据录音内容判断图的正误。练习目的是熟悉本课的主要句型。

（五）做练习4，朗读词组和句子，练习目的是进一步学习本课部分生词的用法。

（六）做练习5，根据句型提示做对话，练习目的是用本课句型做口头表达。

（七）做练习6，把句子和相应的图连起来。练习目的是认读本课的生词和句型。

（八）做练习7，口头或书面翻译句子，练习目的是认读本课的句型并掌握意义。

（九）做练习8，写汉字。

（十）做练习9，朗读诗词。

（十一）教师用书练习说明：

练习5"你问我答"，老师轮流问学生或学生两人一组进行问答都可以。被问者要听懂问题，根据自己的实际情况和了解的知识进行回答。根据学生水平，画线部分可以用英语回答。

附：录音文本和练习答案

（一）练习2

(1) 春天　　　（2）常常　　　（3）雨　　　（4）晴天

(5) 风　　　　（6）季节　　　（7）秋天　　（8）最

（二）练习 3

(1) 今天是晴天。✓

(2) 今天没有雨。

(3) 明天冷，明天有小雨。✓

(4) 北京的春天常常有风。✓

(5) 秋天是北京最好的季节。✓

二、练习与课堂活动建议

（一）根据汉字写拼音。

| chūntiān | qiūtiān | qíngtiān | xiǎo yǔ | chángcháng | jìjié |

(1) 今　天　是　晴　天。
Jīntiān　shì　_____.

(2) 明　天　有　小　雨。
Míngtiān yǒu _____.

(3) 北　京　的　春　天　常　常　有　风。
Běijīng　de　_____　yǒu fēng.

(4) 秋　天　是　北　京　最　好　的　季　节。
_____ shì　Běijīng　zuì　hǎo　de　_____.

（二）根据拼音写汉字。

(1) Míngtiān yǒu xiǎo yǔ.

_____。

(2) Chūntiān yǒu fēng.

_____。

(3) Wǒ de péngyou zuì duō.

_____。

（三）选择词语填空，把号码写在横线上。

A 季节　　　B 晴天　　　C 小雨　　　D 风
  jìjié   qíngtiān   xiǎo yǔ   fēng

E 常常　　　F 春天　　　G 秋天
  chángcháng   chūntiān   qiūtiān

(1) 今天很好，是_____。
    Jīntiān hěn hǎo, shì

71

（2）他 ＿＿＿＿ 去 游泳 。
Tā qù yóuyǒng.

（3）北京 的 ＿＿＿＿ 有 。
Běijīng de yǒu

（4）现在 我们 不 出去 ， 有 ＿＿ 。
Xiànzài wǒmen bù chūqù, yǒu

（5）＿＿＿＿ 是 北京 最 好 的 ＿＿＿＿ 。
shì Běijīng zuì hǎo de

（四）把汉字和拼音用线连起来。

（1）明天冷   zhè ge dìfang hěn lěng

（2）今天没有小雨   qiūtiān shì zuì hǎo de jìjié

（3）那个地方很热   míngtiān lěng

（4）秋天是最好的季节 míngtiān bú shì qíngtiān

（5）这个地方很冷   nà ge dìfang hěn rè

（6）明天不是晴天   jīntiān méi yǒu xiǎo yǔ

（五）你问我答。

（1）哪儿最冷？

（2）哪儿最热？

（3）哪儿常常有雨？

（4）你常常去哪儿看电影？

（5）你常常在哪儿运动？

（6）什么运动最好？

（7）你常常看什么电视节目？

（8）什么电视节目最好看？

（六）翻译并把相应的问题和回答连起来。

（1）今天冷吗？   秋天是北京最好的季节。

（2）明天热吗？   不冷。今天是晴天。

（3）北京有几个季节？ 不热，明天有小雨。

（4）什么是北京最好的季节？ 他不喜欢，北京的春天常常有风。

（5）他喜欢北京的春天吗？ 北京有四个季节。

附：练习答案

练习2

（1）明天有小雨。

（2）春天有风。

（3）我的朋友最多。

三、语言点与背景知识提示

（一）最

"最"是用来表示程度的，意思是达到极点。本课学习的是"最"用在形容词前面的情况，比如：

最好　最大　最高　最冷　最热　最多

（二）常常

"常常"用在动词的前面，表示动作或行为经常发生。比如：

春天常常有风。

我常常去图书馆。

他常常吃中国菜。

（三）"发音练习"中的诗词

这首诗是唐朝诗人贺知章的《咏柳》，内容是赞美春风吹动的柳枝，颜色像晶莹的碧玉，形态像轻柔的丝带。诗中还把春风比喻成神奇的剪刀，好像有一只手用它剪裁出了春天美丽的景象，充满了丰富的想像力。

The poem in the pronunciation exercise in the student book is "a poem about the willow" by He Zhizhang, a poet in Tang Dynasty. The poem sings the praises of the willow swaying in the wind. It looks like silk and is the colour of jade. The poem compares the wind to mysterious scissors, as though there is a hand using the scissors to shear the beautiful landscape. The poem is a very imaginative one.

（四）北京的天气

北京在中国的北方，是大陆性的气候，"春有百花秋有月，夏有凉风冬有雪"，四季非常分明。北京通常四月开春，干燥多风；六月初进入夏天，高温炎热；九月秋风送爽，非常适合人们出游；十月底秋去冬来，干燥寒冷，时间长达五个月左右。

The Weather in Beijing

Beijing is in the north of China and has a continental climate. "Hundreds of flowers in spring, the moon in autumn, a cool breeze in summer and snow in winter"; the four seasons are all very distinct. Spring usually starts in April with strong, dry winds. June heralds the start of summer with scorching sun and humidity. In September autumn winds bring clear, bright weather and it's a good time for people to go travelling. At the end of October autumn turns to winter, dry and cold, and lasting approximately five months.

第十四课 在公园里

教学目标

交 际 话 题：锻炼身体。

语 言 点：奶奶在公园里散步。

孩子在草地上跑。

爷爷每天早上在湖边打太极拳。

生　　　词：奶奶　公园　散步　孩子

草地　跑　爷爷　湖边　太极拳

汉　　　字：草　太　跑　园　奶

 一、基本教学步骤及练习要点

（一）导入：用课本上的图片作一些简单介绍。中国很多地方人们喜欢早晨去公园里健身，主要的运动是散步、打太极拳、跳舞等等。

领读生词表。

（二）做练习1，练习目的是了解本课的主要句型和内容。

（三）做练习2，根据录音内容在相应的生词下面标号。练习目的是熟悉本课生词的发音。

（四）做练习3，根据录音内容判断图的正误。练习目的是熟悉本课的主要句型。

（五）做练习4，朗读词组和句子，练习目的是进一步学习本课部分生词的用法。

（六）做练习5，根据句型提示做对话，练习目的是用本课句型做口头表达。

（七）做练习6，把句子和相应的图连起来。练习目的是认读本课的生词和句型。

（八）做练习7，口头或书面翻译句子，练习目的是认读本课的句型并掌握它们的意义。

（九）做练习8，写汉字。

（十）教师用书练习说明：

练习5，按框的顺序任意用框里的拼音组句，然后了解组出的句子是什么意思，判断它们是不是正确的句子。鼓励学生多用以前学过的词。

附：录音文本和练习答案

（一）练习2

(1) 散步　(2) 爷爷　(3) 奶奶　(4) 草地　(5) 湖边

(6) 跑　　(7) 太极拳 (8) 孩子　 (9) 公园

（二）练习3

(1) 我家的后面有一个公园。✓

(2) 公园里有很多人。

(3) 奶奶在公园里散步。

(4) 孩子在草地上跑。✓

(5) 爷爷在湖边打太极拳。

 二、练习与课堂活动建议

（一）根据汉字写拼音。

| yéye | nǎinai | háizi | sànbù |
| tàijíquán | cǎodì | pǎo | hú biān |

(1) 孩 子 在 草 地 上 跑。

_____ zài _____ shang _____.

(2) 奶 奶 在 公 园 里 散 步。

_____ zài gōngyuán li _____.

(3) 爷 爷 每 天 早 上 在 湖 边 打 太 极 拳。

_____ měitiān zǎoshang zài _____ dǎ _____.

（二）根据拼音写汉字。

(1) Zhè ge gōngyuán zhēn hǎo kàn.

_____。

(2) Háizi zài cǎodì shang pǎo.

孩 子_____。

(3) Yéye měitiān zǎoshang zài hú biān dǎ tàijíquán.

爷 爷 _____ 湖 边 ____太 极 拳。

(4) Wǒ yě xiǎng xuéxí tàijíquán.

_____太 极 拳。

（三）把问题的号码写在答案的前面。

A 小猫在哪儿睡觉?

B 草地上有什么?

C 很多人在哪儿散步?

D 沙发上有什么?

E 两个孩子在哪儿跑?

F 公园里有什么?

(1)_____公园里有很多人 。

(2)_____沙发上有一只小猫 。

75

（3）_____草地上有两个孩子。

（4）_____小猫在沙发上睡觉。

（5）_____很多人在公园里散步。

（6）_____两个孩子在草地上跑。

（四）根据本课的情景图片"在公园里"，说一段话。

这是一个公园……

现在是早上六点……

（五）从下面的五个框里各选一个词语，按照框的顺序组成一句话。

| yéye
爷爷
bàbā
爸爸
gēge
哥哥 | zǎoshang
早 上
wǎnshang
晚 上 | sì diǎn
四 点
liù diǎn
六 点
bā diǎn
八 点 | zài gōngyuán li
在公园里
zài fángjiān li
在房间里
zài hú biān
在湖边 | sàn bù
散步
dǎ tàijiquán
打太极拳
chī shuǐguǒ
吃水果 |

（六）朗读并翻译。

（1）学校里有一个图书馆和一个运动场。

（2）我们常常在图书馆里看书，在运动场上踢足球。

（3）我喜欢看电影，电影比电视节目有意思。

 三、语言点与背景知识提示

（一）在＋处所＋动词

在第一册第十七课中，我们学习了"在＋处所＋动词"形式，如：

医生在医院工作。

学生在学校学习。

本课继续学习这一用法。"在＋处所"除了可以用在动词前面以外，也常常用在"动词＋宾语"的前面。如：

我在图书馆看书。

Ann 在房间看电视。

爸爸在客厅喝咖啡。

要特别提醒注意：汉语的"在＋处所"应该用在动词的前面，不能用在动词的后面。下面的句子是错误的：

×他工作在医院。

×我学习在教室。

（二）在＋处所名词＋里／上

在本册第四课，我们学习了"名词＋里／上"的用法，"名词＋里／上"用来表示处所。比如：

> 房间里有电视。
>
> 图书馆里有很多书。
>
> 桌子上有中文书。
>
> 床上有一只猫。

本课学习"在＋处所名词＋里／上"的用法，这一格式用在动词前面表示动作发生的处所。比如：

> 奶奶在公园里散步。
>
> 孩子们在草地上跑。
>
> 爷爷在湖边打太极拳。
>
> 小猫在椅子上睡觉。

注意："在＋处所"应该用在动词的前面，如"在医院工作"。同样，"在＋处所＋里／上"也要用在动词的前面。

（三）早晨的活动

在中国，有很多人，特别是老人，很早起床，到公园、山上、湖边或广场上晨练。他们打太极拳、练气功、跑步、爬山、散步、跳舞、做健身操、遛鸟，一边活动一边互相交谈。老人晨练以后，一般再去市场买些东西。年轻人晨练后就去上班或上学。

Early Morning Activities

In China many people, especially old people, get up early and go to parks, mountain sides, lake sides and wide open spaces to exercise. They do Taiji, Qigong, running, hill walking, dancing, aerobics and walking with their birds, chatting to each other whilst they exercise. After their morning exercises, old people usually go to the market to do their shopping, whilst young people go to work or school.

第十五课　我感冒了

教学目标

交 际 话 题：生病。

语 言 点：我感冒了。

　　　　　头疼。

　　　　　肚子不舒服。

生 词：舒服　感冒　病　头　疼

　　　　　眼睛　肚子

汉 字：病　头　疼　肚　服

 一、基本教学步骤及练习要点

（一）导入：日常生活中最常见的病是感冒和肚子不舒服。本课要学习如何表述生病时的感觉。

问问学生感冒时常见的表现是什么？

领读生词表。

（二）做练习1，练习目的是了解本课的主要句型和内容。

（三）做练习2，根据录音内容在相应的生词下面标号。练习目的是熟悉本课生词的发音。

（四）做练习3，根据录音选择正确的图片。练习目的是熟悉本课的主要句型。

（五）做练习4，朗读词组和句子，练习目的是进一步学习本课部分生词的用法。

（六）做练习5，根据句型提示做对话，练习目的是用本课句型做口头表达。

（七）做练习6，把句子和相应的图连起来。练习目的是认读本课的生词和句型。

（八）做练习7，口头或书面翻译句子，练习目的是认读本课的句型并掌握意义。

（九）做练习8，写汉字。

附：录音文本和练习答案

（一）练习2：

(1) 病　(2) 头　(3) 肚子　(4) 眼睛　(5) 疼　(6) 舒服　(7) 感冒

（二）练习3：

(1) 我头疼。

(2) 我的眼睛不舒服。

(3) 我感冒了。

(4) 我的肚子不舒服。

(5) 这个房间不舒服。

二、练习与课堂活动建议

（一）根据汉字写拼音。

| shūfu   tóu téng   gǎnmào   yǎnjing   bìng   dùzi |

(1) 今天 我 病 了。
　　Jīntiān wǒ_____le.

(2) 我 头 疼，眼 睛 也 疼。
　　Wǒ_____,_____yě___.

(3) 我 的 肚 子 不 舒 服。
　　Wǒ de_____bù_____.

(4) 我 感 冒 了，我 想 去 医 院。
　　Wǒ_____le, wǒ xiǎng qù yīyuàn.

（二）根据拼音写汉字。

(1) Wǒ jīntiān bìng le.
　　_____今 天 _____了。

(2) Tā tóu téng.
　　他 _____。

(3) Wǒ de dùzi hěn bù shūfu.
　　我 的 _____ 很 不 舒 服。

(4) Wǒ yǒu zìxíngchē, wǒ chángcháng yùndòng.
　　_____，我 常 常 运 动。

（三）把拼音写在相应的位置上。

gǎnmào	dùzi téng	tóu téng	yǎnjing bù shūfu

（四）把汉字和相应的英文用线连起来。

（1）头疼   catch cold

（2）漂亮眼睛   feel bad

（3）肚子疼   headache

（4）不舒服   beautiful eye

（5）感冒了   stomach ache

（五）扮演医生和病人进行对话。

医生：你不舒服吗？   病人：我的……很疼。

       ……疼吗？   我的……不舒服。

（六）朗读并翻译。

（1）我的头很疼，我想去花园散步。

（2）今天真冷，我感冒了。

（3）晚上我吃了很多，海鲜、牛肉、猪肉、鸡，现在我的肚子很不舒服。

（4）你病了，我们去医院吧。

三、语言点与背景知识提示

（一）表示变化的"了"

"了"用在句尾，用来肯定事情出现了变化或将要发生变化 。 比如：

已经出现了变化：

动词＋了   —— 我病了。   我感冒了。

形容词＋了 —— 孩子大了。 我老了。

将要发生变化：

动词＋了   —— 要下雨了。

形容词＋了 —— 一会儿天就亮了。

（二）左右结构的汉字

在汉字的基本结构方式中，左右结构是最主要的一种，在常用汉字中占到了70%。
左右结构的汉字一般可分为两类，一类是左右分布比较均衡的，比如"朋、瓶、羽"
等。另一类是左右分布不均衡的，这一类汉字又可以分为两种，一种是左小右大，如"你、
课、跑、漂、奶、馆、吧、块、师、脑、院、睡"等，这类字占的数量比较多；另一种
正好相反，左大右小，如"数、新、影、卧、剧"等，这类字相对来说比较少。

（三）中医和中药

中医的历史非常悠久，它的理论和治疗方法受到中国古代哲学"天人合一"和"阴

阳五行学说"的深刻影响。最大的特点是把人体的生理机能看作一个整体，认为人体各个部分的功能都有相互的关系和作用，进而把人体的生理机能和自然环境也看作一个整体，认为病理的过程就是外在环境对人体内部进行作用的过程，由表及里，由虚到实。中医的诊断方法有"四诊"——"望（脸色）、闻（气味）、问（病情）、切（脉象）"。

中医的突出成就是"针灸"，就是用特制的针和热的艾条刺激特定的穴位，达到打通经脉、调和气血、消除病因的目的。针灸理论依据历史悠久的"经络"学说，认为人的穴位是人体内脏对应体表的部位，联系穴位和内脏的道路就是经络。对穴位进行的外界的刺激，通过经络达到相关的内脏，可以治病。

中药是直接利用植物、动物的某些部分，或者某些矿物质，通过煎、焙等方法，发挥药性，进行治疗。

Traditional Chinese Medicine

Chinese medicine has an extremely long history. Its underlying theory and methods of treatment were heavily influenced by the ancient Chinese philosophical theories of opposing forces in nature, the five elements (metal, wood, water, fire and earth), and man as an integral part of nature. The key characteristic of Chinese medicine is to look at the physiological functions of the body as a whole and to see each part of the body as inter-related. It also views the physiological functions of the body and the natural environment as a whole, and believes that the pathological process is a process of the external environment actively affecting the inner-body. There are four methods of diagnosis in Chinese medicine: observation, smell, interrogation and feeling the pulse.

One of the outstanding achievements of Chinese medicine is acupuncture. This is the stimulation of a specialized point of the body using specialised needles and hot moxa. Acupuncture can make the bloodstream normal and eliminate the possibility of illness. Acupuncture theory has a long history and believes that the acupuncture point is where the organs are mapped onto the skin, and that there are paths joining the points and the organs. The stimulus to the outside points can reach corresponding organs to cure the patients.

Chinese medicines are made from parts of plants, animals or minerals either in their natural form or burnt.

第五单元测验

1、根据录音判断图片的正误。

(1)  (2)  (3)

(4)  (5) 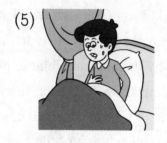 (6)

2、根据话题，参考括号里的词语说一段话。

(1) 今天的天气

　　（晴天／小雨　　冷／热）

(2) 请假

　　（不舒服　　疼　　不去）

3、朗读。

　　昨天早上我去公园看爷爷打太极拳。昨天有小雨，很冷。晚上我感冒了，头很疼。今天我不去上课。

4、根据拼音写汉字。

(1) Běijīng de chūntiān yǒu fēng.

　　_____。

(2) Wǒ bìng le，dùzi téng.

　　_____。

(3) Huāyuán li de cǎodì zhēn hǎo.

　　_____。

5、翻译。

(1) 把英文翻译成中文。

a. Is it warm today?

b. Have you got a cold?

c. It's sunny today and it's not cold.

d. I want to learn Taiji.

(2) 把中文翻译成英文。

a. 我喜欢春天，春天是最好的季节。

b. 很多孩子在草地上跑。

c. 我的肚子很不舒服，我不想吃饭。

第五单元测验部分答案

1、根据录音判断图片的正误。

(1) 今天是晴天。

(2) 明天有小雨。

(3) 爷爷在公园里散步。

(4) 奶奶在湖边打太极拳。

(5) 明明今天病了，他肚子不舒服。

(6) 我感冒了，头很疼。

答案：

(1)正 　(2)误 　(3)误 　(4)误 　(5)正 　(6)正

4、根据拼音写汉字。

(1) 北京的春天有风。

(2) 我病了，肚子疼。

(3) 花园里的草地真好。

5、翻译。

(1) 把英文翻译成中文。

a. 今天热吗?

b. 你感冒了吗?

c. 今天是晴天，不冷。

d. 我想学习太极拳。

第十六课 我喜欢你衣服的颜色

教学目标

交际话题： 谈论服装。

语 言 点： 他穿蓝裤子。

他穿白色的运动鞋。

我喜欢你衣服的颜色。

新衣服越来越多。

生　　词： 红(色) 裤子 白(色) 蓝(色) 鞋

流行 颜色 越来越 穿 新

汉　　字： 红 色 新 运 动

 一、基本教学步骤及练习要点

（一）导入本课话题：谈服装。教师让学生谈他们喜欢的颜色和他们校服的颜色，问问学生对自己校服的颜色是否满意；也可以准备一些有红色或白色时装的照片，让学生谈谈他们对这些照片的评价，如是否喜欢，为什么喜欢，为什么不喜欢等。

（二）读生词，注意纠正学生的发音。

（三）做练习1，请教师带学生朗读，纠正学生的发音，让学生熟悉课本的句型和生词。

（四）做练习2和3。做练习2时，让学生先听录音，然后 按照录音里生词的顺序，把序号填写在图片或汉字下面的空格里。练习3是一个听力选择题，本题提供了三种颜色作为候选，即"①红色"、"②白色"和"③蓝色"。学生听到录音里面有六个句子，每个句子都跟这三种颜色有关，学生在听录音的同时，选择①②③填写进相关的空格内。如学生听到"1）Ann穿白色的鞋"，就可以选择②，填写进"Ann"和"鞋"交叉的空格内。

（五）做练习4，练习目的：①巩固本课基本词汇和句型；②导入本课语法点"越来越"（见本课语言点与背景知识提示1）。这个 练习列举了几个包含"越来越"的句子，希望学生在类举中学会应用。

（六）练习5是一个会话练习。教师可以先讲解会话(1)和(2)，也可以带学生朗读，让学生熟悉本练习的基本要求，然后做(3)和(4)。(5)是一个扩展练习，把例句中的动词"穿"换为"买"，学生可以 根据情景的变化，更换动词，目的在于把第三单元的"购物"和本单元的"时尚"话题结合起来，以便把本课的基本词汇和句型应用到真实的生活情景中去。

（七）练习6和7都是翻译练习。练习6是汉英词语的对应练习，让学生在练习中巩固本课的生词，进一步掌握生词的意思。练习7是翻译句子的练习，在这个练习中，要求学生除了使用本课学过的生词和句型，还要复习前面学过的内容，如第六课"你家的花园真漂亮"和第十课"今天你上了什么课"中的生词和句型。

（八）练习9是一个发音练习，这是一段汉语中的绕口令，主要练习带后鼻尾音的复韵母"ang""eng""ing"和"ong"。

附：录音文本

（一）练习2

(1) 鞋　　　　(2) 颜色　　(3) 裤子　　(4) 越来越　(5) 白色

(6) 红色　　　(7) 穿　　　(8) 衣服　　(9) 新　　　(10) 蓝色

（二）练习3

(1) Ann 穿白色的鞋。

(2) 小海穿红运动鞋。

(3) Ann 穿蓝裤子。

(4) 小海穿白色的裤子。

(5) Ann 喜欢白色。

(6) 小海也喜欢白色。

 二、练习与课堂活动建议

* 练习

（一）看汉字，找拼音。

(1) 越来越　＿＿＿＿＿＿＿＿＿

(2) 穿　　　＿＿＿＿＿＿＿＿＿

(3) 新　　　＿＿＿＿＿＿＿＿＿

(4) 裤子　　＿＿＿＿＿＿＿＿＿

(5) 鞋　　　＿＿＿＿＿＿＿＿＿

(6) 流行　　＿＿＿＿＿＿＿＿＿

(7) 颜色　　＿＿＿＿＿＿＿＿＿

(8) 红色　　＿＿＿＿＿＿＿＿＿

(9) 白色　　＿＿＿＿＿＿＿＿＿

(10) 蓝色　　＿＿＿＿＿＿＿＿＿

kùzi

liúxíng

báisè

hóngsè

lánsè

yuèláiyuè

xīn

xié

yánsè

chuān

（二）看拼音，找英语。

(1) hóng píngguǒ	(1) red apple
(2) báisè de yùndòngxié	red sports shoes
(3) hóng yùndòngxié	white clothing
(4) báisè de yīfu	new clothing
(5) liúxíng de yánsè	hotter and hotter
(6) xīn yīfu	blue trousers
(7) yuèláiyuè piàoliang	more and more hot
(8) yuèláiyuè rè	more and more beautiful
(9) yuèláiyuè nán	popular colour
(10) lán kùzi	white sports shoes

（三）看英语，找汉语。

I like the colour of her clothing.

Beijing becomes hotter and hotter.

Our Chinese course is getting more and more difficult.

This is the most popular colour this year.

Běijīng yuèláiyuè rè.

Wǒmen de Hànyǔkè yuèláiyuè nán.

Zhè shì jīnnián zuì liúxíng de yánsè.

Wǒ xǐhuan tā yīfu de yánsè.

（四）看英语，说汉语。

(1) new clothing

(2) red flower

(3) to buy new shoes

(4) like the colour of his clothing

(5) more and more beautiful

（五）看拼音，写句子。

Zuótiān wǒ mǎile báisè de yùndòngxié.

昨＿＿＿＿＿＿白＿＿＿＿＿＿。

Wǒ xǐhuan wǒ de xīn xié.

＿＿喜欢＿＿＿＿＿鞋。

86

（六）翻译并回答问题。

Ann:

Nǐ hǎo!
你好！

Wǒ zài Běijīng.
我在北京。

Jīntiān zǎoshang wǒ qùle gōngyuán. Gōngyuán li yǒu hěn duō huā, hěn duō rén zài gōngyuán li
今天早上我去了公园。公园里有很多花，很多人在公园里

sànbù. Xiǎohóng yě qùle gōngyuán, tā chuān hóng yīfu, yě chuān hóng yùndòngxié, tā
散步。小红也去了公园，她穿红衣服，也穿红运动鞋，她

zhēn piàoliang!
真漂亮！

Èr líng líng bā nián zài Běijīng jǔbàn, Zhōngguórén hěn gāoxìng. Xiànzài Běijīng
二〇〇八年，Olympics 在北京举办 (to hold)，中国人很高兴。现在北京

yuèláiyuè piàoliang le. Wǒ yě yuèláiyuè xǐhuan Běijīng le.
越来越漂亮了。我也越来越喜欢北京了。

Zàijiàn!
再见！

Mike
liù yuè wǔ hào
六月五号

问题：

(1) 今天早上，Mike 去了哪儿？

Xiǎohóng
(2) 小红穿什么颜色的衣服？

Xiǎohóng
(3) 小红穿什么颜色的运动鞋？

(4) 北京漂亮吗？

附：练习答案

练习5：

昨天我买了白色的运动鞋。

我喜欢我的新鞋。

＊ 课堂活动建议

（一）时装表演

让学生自己组织一场小小的时装表演，每个人穿自己喜欢的衣服，说说这些衣服的颜色。

（二）评价校服

你喜欢你的校服吗？为什么？如果你不喜欢，是因为颜色吗？哪个学校的校服比你们学校的好？他们的校服是什么颜色的？

三、语言点与背景知识提示

（一）形容词直接做定语

在汉语中，单音节形容词常常可以直接做定语，修饰后面的名词，表示事物的性质。如：

小猫　　　大猫
新鞋　　　旧鞋
红花　　　红裤子

（二）"名词＋的"做定语

在汉语中，名词和代词也常常做定语，名词、代词做定语时，如果是表示领属关系，在名词、代词和中心语之间，需要用结构助词"的"。如：

哥哥的卧室　　　我的书桌
衣服的颜色　　　学校的运动场

用于回答"谁的……"或"什么东西的……"的提问。

（三）"词组＋的"做定语

在汉语里，各种词组也可以做定语，修饰名词。词组做定语时，一般要用"的"，此时定语常常是对所修饰的名词进行描写或说明。如：

白颜色的运动鞋　　　红颜色的衣服
很漂亮的花园　　　　很高的书架

用于回答"什么样的……"的提问。

（四）越来越

"越来越"是汉语中一个比较常见的格式，表示程度随着时间的变化而变化。"越来越"后面一般加形容词，还可以加一些表示心理活动的动词，如"喜欢"等。例如：

天气越来越热。
北京越来越漂亮。
汉语课越来越有意思。
商店里的东西越来越贵。
我越来越喜欢北京。

（五）旗袍

旗袍是中国妇女的传统服装之一，源于清代妇女的服装，后在20世纪二十年代得到改良，成为深受现代妇女喜爱的时装。旗袍几经变革，演变至今，成为中华民族女性比较有代表意义的正式礼服。旗袍的色彩或艳丽或端庄，丰富多彩；旗袍的剪裁合体，做工考究；其面料多为中国传统的丝绸制品。近年来，旗袍又迎来了一个新的流行时代，在各种正式场合，都可以看到身着美丽旗袍的中国女性。

A Women's Cheongsam

The cheongsam is a type of Chinese woman'straditional clothing. It comes from women's dress of Qing Dynasty and was adopted by modern Chinese women. The cheongsam was improved in the 1920's and became a favorite fashion of modern women. The cheongsam has been changed several times over the years. It is the prototype for Chinese women's formal outfits. Cheongsams can be highly colourful or just a single colour, and are well cut. They are mostly made from Chinese traditional silk.

Recently, the cheongsam has found renewed popularity. For all kinds of occasion you can see that women often wear a cheongsam.

第十七课
我跟爸爸一样喜欢京剧

教学目标

交 际 话 题： 京剧。

语 言 点： 我去剧院看京剧。

我跟爸爸一样喜欢京剧。

生 词： 剧院 京剧 票 表演 高兴

年轻人 老年人 唱片

汉 字： 唱 票 老 兴 剧

 一、基本教学步骤及练习要点

（一）导入本课话题：京剧。教师准备一张京剧人物的造型或脸谱，如"闹天宫"中的孙悟空的造型，让学生初步了解京剧的艺术形式（可参考本课语言点与背景知识提示3）。

（二）读生词，注意纠正学生的发音。

（三）做练习1，请教师带学生朗读，纠正学生的发音，让学生熟悉本课的句型和生词。

（四）做练习2和3。做练习2时，让学生先听录音，然后按照录音里生词的顺序，把序号填写在图片或汉字下面的空格里。练习3是一个听力判断题，每个题里有两个或三个句子，让学生在听录音的同时，根据句子所叙述的情况在空格内打√或×。如1），学生听到："今天晚上爸爸去看京剧，我不去看京剧，我有课。"本题只要求学生判断出"爸爸去看京剧"和"我不去看京剧"，然后在"爸爸"和"看京剧"交叉的空格内打√，在"我"和"看京剧"交叉的空格内打×。又如2），学生听到："爸爸喜欢京剧，我跟爸爸一样喜欢京剧。"学生就要在"爸爸"和"喜欢京剧"和"我"与"喜欢京剧"两个交叉的空格内都打上√。

（五）做练习4，巩固本课的词语和基本句型。

（六）练习5是一个会话练习，教师可以先讲解会话1）和2），也可以带学生朗读，让学生熟悉本练习的基本要求，然后做3）和4）。

（七）练习6和7都是翻译练习。练习6是汉英词语的对应练习；7是翻译句子，考察学生阅读和翻译能力，在做这个练习时，要求学生能熟练朗读每个句子，然后再进行翻译。

附：录音文本和答案

（一）练习2：

(1) 票　　(2) 唱片　(3) 年轻人　(4) 剧院

(5) 老年人　(6) 表演　(7) 高兴　　(8) 京剧

（二）练习3：

(1) 今天晚上爸爸去看京剧，我不去看京剧，我有课。

(2) 我有票，爸爸也有票。

(3) 爸爸买了唱片，我没买唱片。

(4) 爸爸去剧院看京剧，我去电影院看电影。

二、练习与课堂活动建议

* 练习

（一）看汉字，写拼音。

(1) 高兴　　_____

(2) 年轻人　_____

(3) 老年人　_____

(4) 剧院　　_____

(5) 唱片　　_____

(6) 京剧　　_____

(7) 表演　　_____

(8) 票　　　_____

（二）用拼音填空。

(1) 去_____③_____

(2) _____京剧

(3) _____票

(4) 买_____

(5) 喜欢_____

(6) 很_____

(7) _____人

(8) _____人

① gāoxìng

② niánqīng

③ jùyuàn

④ jīngjù

⑤ lǎonián

⑥ chàngpiàn

⑦ mǎi

⑧ kàn

（三）读英语，找汉语。

I shall go to the theatre to watch Beijing
  Opera this evening.

I like Beijing Opera.

My father also likes Beijing Opera.

Xiaohai is going to buy the ticket.

I have many gramophone records.

Xiǎohǎi qù mǎi piào.

Wǒ yǒu hěn duō chàngpiàn.

Wǒ bàba yě xǐhuan jīngjù.

Wǒ xǐhuan jīngjù.

Jīntiān wǎnshang wǒ qù jùyuàn
  kàn jīngjù.

（四）读英语，说汉语。

(1) to buy gramophone records

(2) old people and young people

(3) to watch Beijing Opera at the theatre

(4) like the performance of Beijing Opera

（五）读拼音，写句子。

Xiǎohǎi xīngqīliù qù jùyuàn kàn jīngjù, tā hái yào mǎi chàngpiàn.

____海____期_____片。

Tā hěn gāoxìng.

_____。

（六）翻译并回答问题。

Ann:

Nǐ hǎo!
你好!

Xiànzài Běijīng hěn rè,　Yīngguó rè ma?
现在北京很热，英国热吗？

Jīntiān wǎnshang wǒ qù jùyuàn kàn jīngjù,　Xiǎohǎi yě qùle.　Xiǎohǎi hěn xǐhuan jīngjù,
今天 晚上 我去剧院看京剧，小海也去了。小海很喜欢京剧，

Xiǎohǎi de bàba yě xǐhuan jīngjù,　tāmen chángcháng qù kàn jīngjù. Zuótiān,　wǒ hé Xiǎohǎi
小海的爸爸也喜欢京剧，他们 常 常去看京剧。昨天，我和小海

qù mǎile piào,　wǒ hái mǎile hěn duō chàngpiàn,　jīngjù piào bú guì,　chàngpiàn yě hěn piányi,
去买了票，我还买了很多唱片，京剧票不贵，唱片也很便宜，

wǒ hěn gāoxìng!
我很高兴!

Zàijiàn!
再见!

Mike

liùyuè shí rì
六月十日

问题：

(1) 现在北京热吗？

(2) 小海喜欢什么？小海的爸爸呢？

(3) Mike和小海去哪儿看京剧？

(4) 昨天他们买了什么？

(5) Mike还买了什么？

附： 练习答案：

（一）练习2

(2) kàn

(3) mǎi

(4) chàngpiàn

(5) jīngjù

(6) gāoxìng

(7) niánqīng

(8) lǎonián

（二）练习5

小海星期六去剧院看京剧，他还要买唱片。他很高兴。

* 课堂活动建议

观看京剧《闹天宫》片段。

 三、语言点与背景知识提示

（一）A 跟 B 一样＋动词

我们已经学过了"A 跟 B 一样／不一样"的句式（见本册第9课），如：

他的自行车跟我的自行车一样。

在本课里，我们继续学习"A 跟 B 一样＋动词"的句式。

在这个句式里，表示比较的介词结构"跟……一样"作状语，修饰后面的动词（或动词词组）。注意，并不是所有的动词都可以用在此句型中，只有某些与心理活动有关的动词可以用在此处。如：

我跟哥哥一样喜欢电脑。

我跟姐姐一样喜欢新衣服。

Ann跟我一样想去中国。

我跟妈妈一样爱喝咖啡。

我跟我的同学一样希望学习汉语。

（二）京剧的脸谱艺术

脸谱是中国传统戏剧的一种化妆方式，一般传统戏剧中的人物都有固定的脸谱，借以突出人物的性格特征。京剧的脸谱色彩丰富、鲜明，通常有红、紫、黑、白、蓝、绿、黄、金、银等颜色，是从人物自然肤色夸张变化而来的。不同色彩的搭配象征着不同人物的性格。一般来说，红色象征人物赤胆忠心，如关公的脸谱；黑色体现人物耿直忠诚，如包公的脸谱；白色比喻人物奸诈狠毒，如曹操的脸谱。《闹天宫》中孙悟空的脸谱主要是用红白黑三色勾勒出一个栩栩如生的猴子的脸谱。熟悉和喜爱京剧的人，往往在看到一个脸谱之后，就能说出这个人物是出自哪一出戏，他有着什么样的性格。

Facial Make-up of Beijing Opera

Traditional Chinese opera employs a unique type of facial make-up. Actors in Beijing opera usually wear fixed facial make-up which emphasizes the mood which their character is supposed to display. The colours of facial make-up in Beijing Opera are very rich and obvious. They are usually red, purple, black, white, blue, green, yellow, golden, silver etc. They come from exaggerating the natural colour of the character's skin, and different arrangements of colours symbolize different characters, roles and moods. In general, red symbolizes that the character is very faithful, for example Guan Yu's facial make-up; black symbolizes honesty, for example Baogong's make-up; white symbolizes duplicity, for example Cao Cao's make-up. The facial make-up of Sun Wukong in "Fight in Heaven" is mainly three colours: red, white and black, and is made to look like a monkey. When those people who are fond of and familiar with Peking Opera see facial make-up, they can often tell you which opera the character comes from and what kind of character they are.

第十八课　音乐会快要开始了

教学目标

交际话题：音乐会。

语言点：音乐会快要开始了。

每个CD都很好。

生　词：音乐会　快要　都　听

订票　休息　回

汉　字：回　快　订　听　休

 一、基本教学步骤及练习要点

（一）导入本课话题：听音乐会。由于本课主要结合中国音乐展开话题，教师可以先让学生听一段中国民乐，如《二泉映月》《春江花月夜》，或者是小提琴协奏曲《梁山伯与祝英台》，使学生对中国音乐有初步的感性认识，便于开展教学。听完音乐后，教师可以引导学生用汉语简单地谈谈他们的感受。比如他们喜欢哪段音乐，他们想听什么音乐；如果有中国音乐的音乐会，他们去不去听？

（二）做练习1，这是一个朗读练习，练习目的是帮助学生熟悉本课的基本句型和生词，为做课后练习作准备。

（三）做练习2和3，这是两个听力练习题。练习2是一个填空题，做这个练习时，让学生先听录音，然后按照录音里生词的顺序，把序号填写在每个生词下面的空格里。练习3是一个听力选择题，要求学生按照听到的录音带里的内容，选择√和×，填写在空格内。如，在第一个句子里，学生听到："今天有一个中国音乐会；明天有一个英国音乐会。"学生应该在"中国音乐"和"今天"交叉的空格内划上√，在"英国音乐"和"今天"交叉的空格内画上×。

（四）做练习4，导入本课语法点。

（1）导入"都"。教师可以问一些学生普遍关心、参与或感兴趣的话题。如：你学习汉语吗？你想去中国吗？你喜欢中国菜吗？你知道大熊猫吗？然后总结学生们的回答，在导出的结论中注意使用"都"。如：你们都学习汉语；你们都想去中国；你们都喜欢中国菜；你们都知道大熊猫。

可参见本课"语言点与背景知识提示2"

（注意："知道"为生词，请做适当解释）

（2）导入"每＋量词"。教师可以先让学生朗读练习4的1），让学生复习本套书中学过的量词，先做"数词＋量词"的练习。如：教师可以准备一张足球队的照片，让学生说出：一个人穿白色的衣服；两个人穿白色的衣服；……个人穿白色的衣。然后教师在做总结时使用"每+量词"结构:每个人都穿白色的衣服。

可参见本课"语言点与背景知识提示3"。

(五)做练习5和6;这是完成对话的练习,其中1)侧重于让学生练习"快要……了";练习6是一个比较长的对话,除了包含了本课的语言点"每+量词"和"都"之外,还包含了生词"订票",增加了对话的难度。

(六)做练习6和7,这是两个翻译练习,包含本课的主要生词和语言点,为本课的综合练习。

附: 录音文本和练习答案

(一)练习2

(1) 快要	(2) 听	(3) 开始	(4) 订票
(5) 音乐会	(6) 都	(7) 回	(8) 休息

(二)练习3

(1) 今天有一个中国音乐会,明天有一个英国音乐会。

(2) 中国音乐会晚上九点开始,英国音乐会晚上八点开始。

(3) 我们去听中国音乐会,我们也去听英国音乐会。

(4) 我们买了英国音乐的CD,我们也买了中国音乐的CD。

 二、练习与课堂活动建议

* 练习

(一)看汉字,找拼音。

音乐会	yīnyuèhuì
快要	_____
都	_____
听	_____
订票	_____
开始	_____
休息	_____
回	_____

kuàiyào
xiūxi
huí
kāishǐ
dōu
dìng piào
tīng
yīnyuèhuì

(二)看拼音,找英文。

shàngwǎng dìng piào
huí jiā
Zhōngguó yīnyuè
měi gè rén
kuàiyào kāishǐ le
mǎi CD

Chinese music
to be about to start
to reserve tickets online
to buy CD
everybody
to go back home

（三）读英语，找汉语。

Everybody likes Chinese music.

We reserved tickets online.

It's about time for a break.

We are going to a Chinese
concert this Saturday.

Wǒmen shàngwǎng dìng piào.

Xīngqīliù wǒmen qù tīng Zhōngguó yīnyuèhuì.

Měi gè rén dōu xǐhuan Zhōngguó yīnyuè.

Kuàiyào xiūxi le.

（四）读拼音，写句子。

Xīngqīliù, wǒ xiūxi. Wǒ hé māma qù tīng Zhōngguó yīnyuèhuì, māma

____期___，_____息。_____，_____

xīngqīwǔ qù dìng piào. Wǒmen wǎnshang shí diǎn huí jiā.

____期_____。___们　晚_____十　_____家。

（五）看图说话。

北京二〇〇八

提示：二〇〇八年

　　　北京

　　　Olympics

　　　每个人

　　　都……

　　　喜欢看体育比赛

　　　上网订票

　　　坐飞机去北京，看 Olympics 比赛

（六）翻译。

（1）我们去听中国音乐会吧，我喜欢中国音乐。

（2）二〇〇八年，每个人都想去中国看 Olympics 比赛。

（3）篮球比赛晚上八点开始，我们准备去吧！

（4）快要上课了，我们去教室吧！

（5）我想看电视，我们回家吧！

附：练习答案

练习4：

星期六，我休息。我和妈妈去听中国音乐会，妈妈星期五去订票。我们晚上十点回家。

* **课堂活动建议**

听小提琴协奏曲《梁山伯与祝英台》。

 三、语言点与背景知识提示

（一）快要……了

这是汉语中一个固定搭配，表示某个动作或某种状况即将发生或出现。如：

> 音乐会快要开始了。
>
> 飞机场快要到了。
>
> 妈妈快要回家了。
>
> 我们快要休息了。
>
> 他们快要上汉语课了。

（二）都

"都"是汉语中一个比较常见的副词，表示总括句中前面提到的事物。如：

> 他们都是中国人。
>
> 我和姐姐都想买东西。
>
> Mike 和我都上汉语课。
>
> 我们都去打网球吧！
>
> 爸爸妈妈都在医院工作。

请注意，在汉语的句子中，"都"一般用在它所总括的事物之后，与英语中"all"（或 "both"）的用法不完全相同。英语中可以说："All of us have Chinese class"，而在汉语里说："我们都上汉语课。"

（三）每＋量词……都……

这是汉语中一个比较常见的形式，在本册书里，我们已经学过了"每＋量词"的形式，如：

> 我每天早上7点起床。（本册第3课）
>
> 爷爷每天早上在湖边打太极拳。（本册第14课）

"每"用在量词之前，指在一定范围内的全体，强调在这个范围之内所有个体的共性。在本课，我们学习"每＋量词……都……"的用法，量词后一般要有名词出现。使用这个结构，是强调主语部分的每一个个体都如此，没有例外，如：

> 每个CD都很好。
>
> 每件衣服都很漂亮。

每个公园都很漂亮。

每个房间都很干净。

每个人都想听中国音乐会。

每个人都喜欢足球比赛。

注意："每天、每年"后不需要再加名词，可以直接说：

每天都有汉语课。

每年都去中国旅行。

（四）上下结构的汉字

上下结构的汉字一般可分为两种，一种是上下均衡分布的，即上下两部分的部首大小基本相同，如"要、盆、零"等。另一种是不均衡分布的，这也分为两种，一种是上小下大的汉字，如"景、崇、盲"等；一种为上大下小的汉字，如"点、热、煮"等。

（五）中国民乐

（1）中国民族音乐是中华文化的宝贵财富之一。由于中国历史悠久，民族众多，生活在各地区的不同民族，根据自己的审美观点、习俗及爱好，创造了无数种乐器，创作了大批乐曲，形成了形形色色的曲风。据不完全统计，目前还在民间流行的乐器有四百种之多，按照演奏习惯及乐器的性能，可以分为吹奏乐器、打击乐器、弹拨乐器及拉弦乐器四大类。比较常见的乐器有：古筝、扬琴、二胡、笛子、笙、箫、唢呐、锣鼓等。乐曲也可分为：吹奏乐、弹拨乐、打击乐和合奏等。著名的曲目有：《梅花三弄》《二泉映月》《喜相逢》《春江花月夜》和《金蛇狂舞》等。

（2）小提琴协奏曲《梁山伯与祝英台》

简称"梁祝"。何占豪、陈钢作曲，一九五九年完成。取材于民间传说，是以越剧曲调为素材写成的。表现了青年男女的忠贞爱情和对封建宗法礼教的控诉与反抗。该协奏曲旋律优美，色彩绚丽，通俗易懂，艺术性很强。创作上吸收了戏曲中的丰富表现手法，具有浓郁的民族特色。

Chinese Music

(1) Chinese music is one of the priceless assets of Chinese culture.Due to China's long history, the large number of different ethnicities, and the difference in life styles of differing ethnicities, countless types of musical instruments have been developed and a massive amount of music of every type and kind has been produced by ethnic groups following their own individual aesthetic, customs and preferences. According to incomplete statistics, there are today more than 400 kinds of musical instruments popular amongst people. According to playing styles and the nature of the instrument, they can be split into the 4 categories of: wind instruments, percussion instruments, plucked string instruments, bowed string instruments. Relatively common instruments include: the Guzheng, xylophone, Erhu, flute, horn, vertical flute, woodwind horn, percussion. Pieces of music can also be split into: wind instrument pieces, plucked pieces,

percussion pieces, ensemble pieces etc. Famous pieces include: 'mei hua san nong', 'er quan ying yue', 'xi xiang feng','chun jiang hua yue ye' and 'jin she kuang wu'.

(2) Violin Concerto Liang Shanbo and Zhu Yingtai

This Concerto is abbreviated as 'LiangZhu'.　He Zhanhao and Chen Gang composed it in 1959. The Concerto is inspired by a legend, and gets its source material from Yue opera melodies. It displays loyal love and resistance to feudalism. The concerto's melody is very beautiful and easy to understand. The music has rich national character and absorbs the colorful method of traditional opera.

第六单元测验

1、听力。

(1) 按录音顺序标号。

(2) 听录音判断正误。

2、回答问题。

(1) 你喜欢什么颜色的衣服？

(2) 你穿什么颜色的鞋？

(3) 你喜欢中国音乐吗？

(4) 你看京剧吗？

(5) 你买音乐CD吗？

3、朗读。

(1) Jīntiān wǒ qù mǎi xīn chàngpiàn, wǒ de chàngpiàn yuèláiyuè duō.
今天我去买新唱片，我的唱片越来越多。

(2) Jīnnián zhè ge yánsè hěn liúxíng, zhēn piàoliang!
今年这个颜色很流行，真漂亮！

(3) Tā gēn tā bàba yíyàng xǐhuan shūfǎ, tā měitiān dōu liànxí shūfǎ.
他跟他爸爸一样喜欢书法，他每天都练习书法。

(4) Nǐ xǐhuan báisè de yīfu ma? Nǐ měitiān dōu chuān báisè de yīfu.
你喜欢白色的衣服吗？你每天都穿白色的衣服。

(5) Kuàiyào kǎoshì le, wǒmen kāishǐ zhǔnbèi ba.
快要考试了，我们开始准备吧。

4、写汉字。

① yùndòng ＿＿＿＿＿＿＿＿

② hóngsè ＿＿＿＿＿＿＿＿

③ dìng piào ＿＿＿＿＿＿＿＿

④ jīngjù ＿＿＿＿＿＿＿＿

⑤ lǎoniánrén ＿＿＿＿＿＿＿＿

5、翻译。

(1) 汉译英。

① Zuótiān bàba hé māma qù kàn jīngjù, māma gēn bàba yíyàng xǐhuan jīngjù.
昨天爸爸和妈妈去看京剧，妈妈跟爸爸一样喜欢京剧。

② Zhè shì jīnnián zuì liúxíng de yánsè, nǐ xǐhuan ma?
这是今年最流行的颜色，你喜欢吗？

③ Nǐmen měitiān dōu yǒu zuòyè ma? Zuòyè nán bù nán?
你们每天都有作业吗？作业难不难？

④ Nǐ de Hànyǔ yuèláiyuè hǎo, Hànyǔ yǒuyìsi ma?
你的汉语越来越好，汉语有意思吗？

⑤ Jīnnián nǐ qù Yīngguó ma? Nǐ měi nián dōu qù ma?
今年你去英国吗？你每年都去吗？

(2) 英译汉。

① Do you like the colour of this clothing?

② Chinese music is getting more and more popular.

③ Who will go to reserve the ticket?

④ Xiaohong wears red sports shoes.

⑤ I'll go to buy coffee, it's break time.

第六单元测验部分答案

1、听力。

 (1) ①衣服 ②裤子 ③唱片 ④音乐会 ⑤年轻人

    ⑥老年人 ⑦京剧 ⑧运动鞋 ⑨票 ⑩红

 (2) ① 小红去看京剧；小海不去。

    ② 小红去听中国音乐会；小海也去。

    ③ 小红和哥哥去打网球；小海和哥哥去看足球比赛。

    ④ 小红喜欢红衣服；小海不喜欢红衣服。

    ⑤ 小红穿白色运动鞋；小海穿红运动鞋。

4、写汉字。

 ① 运动

 ② 红色

 ③ 订票

 ④ 京剧

 ⑤ 老年人

第十九课　我跟你一起看

教学目标

交际话题：电视节目。

语言点：我喜欢看电视节目。

我跟你一起看。

好，我们一起看。

生　词：新闻　天气　预报　时候　一起

比赛　教育　好

汉　字：气　报　时　体　育

 一、基本教学步骤及练习要点

（一）可以问学生昨天看了什么电视节目，是否喜欢看电视，以及喜欢看什么电视节目，在本国最受欢迎的电视节目是什么，进入本课主题。学习生词。

（二）做练习1，朗读对话和语段，学习生词的使用和主要表达方式：

（1）喜欢＋动词（＋宾语）

（2）A跟B一起＋动词

（三）做练习2，进一步熟悉生词的发音和意思。

（四）做练习3，听后判断，熟悉词语的使用和意思。

（五）做练习4，认读词语，熟悉句型，这里结合了以前学过的内容，可以让学生说出英文的意思。

（六）做练习5，先朗读对话，熟悉表达方式，然后模仿用所给的词语做对话。

（七）做练习6，认读短句并与英文进行搭配，进一步加强认读理解能力。

（八）做练习7，翻译，结合学过的内容和本课语言点，可以进一步让学生模仿，根据实际情况造句，请其他同学翻译。

（九）发音练习。

（十）根据学生水平，可选做教师用书中的练习。其中练习1帮助学生进一步熟悉词语；练习2进一步熟悉理解句式表达；练习3看图说话，综合复习本课内容；练习4翻译并回答问题，练习表达；练习5为汉字书写练习。

附：录音文本及练习答案

（一）练习2

(1) 体育　　　(4) 节目　　　(7) 教育

(2) 比赛　　　(5) 天气预报　(8) 一起

(3) 新闻　　　(6) 什么时候

（二）练习3

(1) 我喜欢看体育节目，我不喜欢看教育节目。

　　我喜欢看体育节目。答案：（✓）

(2) A：新闻什么时候开始？

　　B：新闻七点开始。答案：（✓）

(3) 他在客厅看电视，妈妈在卧室看电视。

　　他跟妈妈一起看电视。答案：（✕）

 二、练习与课堂活动建议

＊ 练习

（一）把英文写在相应的汉字旁。

weather forecast	新闻	＿＿＿＿＿＿＿＿
educational programme	体育节目	＿＿＿＿＿＿＿＿
together with friends	跟朋友一起	＿＿＿＿＿＿＿＿
like studying Chinese	教育节目	＿＿＿＿＿＿＿＿
basketball match	喜欢学习汉语	＿＿＿＿＿＿＿＿
when	天气预报	＿＿＿＿＿＿＿＿
news	篮球比赛	＿＿＿＿＿＿＿＿
sports programme	什么时候	＿＿＿＿＿＿＿＿

（二）朗读句子并在相应的配图旁写出人物的名字。

(1) 明明喜欢看足球比赛。

(2) Mike 跟朋友一起学习。

(3) Mary 天天七点看新闻。

(4) 小红不喜欢打羽毛球。

105

（三）看图说话。

今天的电视节目：
17：00　教育节目
18：00　音乐会
19：00　新闻
19：30　天气预报
19：40　焦点访谈
20：30　体育节目
21：00　电影

参考词语和句型：喜欢……
　　　　　　　　什么时候
　　　　　　　　跟……一起

（四）看英文说中文，然后回答问题。

(1) What TV programme do you like to watch?

(2) Do you like playing football?

(3) When do you have Chinese lessons?

(4) Do you like studying Chinese?

(5) Do you want to go to China together with your friends?

（五）看拼音写汉字。

（1）Tǐyù jiémù hěn hǎokàn.

　　＿＿＿＿＿＿＿＿＿＿＿＿＿．

（2）Shénme shíhou yǒu tiānqì yùbào?

　　＿＿＿＿＿＿候＿＿＿＿＿预＿＿？

附：练习答案
练习5
（1）体育节目很好看。
（2）什么时候有天气预报？

＊　课堂活动建议

每个学生根据自己的爱好制作一张电视节目表，写明时间和电视内容。学生互相提问喜欢看的节目和时间安排，可以邀请别人和自己一起看，看谁的电视节目表最受欢迎。

三、语言点与背景知识提示

（一）喜欢＋动词＋名词／名词词组

我们在第一册第9课中学过"喜欢＋名词"的格式，表示喜欢某一事物或事情，如："我喜欢海鲜。""他喜欢音乐。"本课我们学习"喜欢＋动词＋名词／名词词组"的格式，表示喜欢做

某事，如：

主语	喜欢	动词	名词／名词词组
我	喜欢	看	新闻
明明	喜欢	打	篮球
我们	喜欢	学习	汉语
爸爸	喜欢	看	体育节目

（二）A跟B一起＋动词／动词词组

在这一格式中，A和B可以是名词，也可以是代词，表示A和B一同做某事。如：

　　爸爸跟妈妈一起看电视。　（A、B为名词）

　　我跟你一起去图书馆。　（A、B为代词）

（三）"好"单独使用

我们在第一册第1课中学过"好"的形容词用法，如："你好！""你好吗？""我很好。"

本课学习"好"的另一个用法，单独使用，表示答应、允许等语气。如：

　　A：我跟你一起看电视。

　　B：好，我们一起看。

　　A：我们看体育节目吧！

　　B：好，我最喜欢看体育节目。

（四）电视节目表

中国的中央电视台，现有十二套节目，所有节目都对全国播放，部分节目对全球播放。各省市区有省市区电视台，其卫星节目对全国播放。一般家庭可以接收几十套节目。下面是一张中央电视台第四套节目一天的节目表。这套节目对海外播放。

● 中央电视台－4

9：05	学汉语(02－94)
10：05	海峡两岸(02－182)
13：50	科技博览(02－248)
14：05	18集连续剧：如梦年华(9)
15：30	体育在线(02－6)
16：05	语林趣话(02－220)
17：05	20集连续剧：女进修生(18)
18：30	两岸万事通(02－9)
19：05	探索发现（海外版）(02－8)
19：50	台湾百科(02－253)
20：05	中国文艺(02－183)
20：30	走遍中国(02－11)
23：45	华语音乐时间(02－11)

Programme List

China's main broadcaster is CCTV, which has twelve channels. All 12 channels are broadcast all over the country, and some are broadcast all over the world. Every province and city also have their own TV stations, and their satellite programs are broadcast all over the country. A normal household in China will be able to receive dozens of channels. Above is a program schedule for CCTV4, this channel is broadcast abroad.

第二十课 他的表演好极了

教学目标

交际话题：电影。

语 言 点：他的表演好极了！

他是亚洲的。

因为今天有课，所以我们明天去。

生 词：极 欧洲 有名 国际 法国

因为 所以 他们的

汉 字：极 因 为 所 以

 一、基本教学步骤及练习要点

（一）导入：与学生讨论他们喜欢的电影和演员，让学生介绍这些电影和演员是哪个国家的，哪些是有名的，询问他们是否看过中国电影，知不知道中国和亚洲其他国家的电影或演员，如果知道是哪些。

（二）做练习1，朗读对话，学习生词的使用和主要表达方式：

（1）有名的+名词

（2）形容词+极了

（3）名词+的

（4）因为……所以……

（三）做练习2，进一步熟悉生词的发音和意思，注意区别相似的发音。

（四）做练习3，可以跟录音重复，熟悉句子意思，了解不同的表达方式。

（五）做练习4，认读，可以让学生说出英文的意思。

（六）做练习5，先朗读，后模仿做对话，训练词语和表达方式的使用。

（七）做练习6，认读短句并与英文进行搭配，进一步加强认读理解能力。

（八）做练习7，翻译，结合学过的内容和本课语言点，可以进一步让学生替换、模仿，根据实际情况造句，请其他同学翻译。

（九）根据学生水平，可选做教师用书中的练习。其中练习1帮助学生进一步熟悉词语；练习2加强对句子的理解；练习3看图说话，综合复习本课内容；练习4朗读并翻译，结合了以前学过的内容，有一定的难度，加强复习；练习5为汉字书写练习。

附：录音文本及练习答案

（一）练习2

（1）电影 （2）有名 （3）亚洲 （4）欧洲

（5）国际 （6）因为 （7）所以

（二）练习3

(1) A：他的电影好看吗？

    B：很好看，他的表演好极了。

       他的表演很好。（✓）

(2) A：这是欧洲电影吗？

    B：不是，这个电影是中国的。

       这个电影是欧洲的。（×）

(3) A：他是谁？

    B：他是亚洲最有名的演员。

       他很有名。（✓）

(4) A：你今天上课吗？

    B：因为我感冒了，所以我今天不上课。

       我今天感冒了。（✓）

二、练习与课堂活动建议

（一）把英文写在相应的汉字旁。

interesting   亚洲 _____   有名 _____

international

Asia

Europe   欧洲 _____   有意思 _____

famous

because   国际 _____   因为 _____

therefore

extremely good   好极了 _____   所以 _____

（二）朗读句子并在相应的配图旁写出人物的名字。

(1) 因为Mike明天有考试，所以他不去看电影，他在家学习。

(2) 因为Tom感冒了，所以他不去看比赛，他在家休息。

(3) A是欧洲有名的演员，欧洲人很喜欢他。

(4) B的表演好极了，她是亚洲最有名的演员，也是国际有名的演员。

110

（三）看图说话。

参考词语：

有名、亚洲、欧洲、国际、…… 极了、有意思、漂亮

Wǒ xǐhuan Chéng Lóng, wǒ xǐhuan kàn Chéng Lóng de diànyǐng.
例句：我 喜 欢 成 龙，我 喜 欢 看 成 龙 的 电 影。

Tā de diànyǐng hěn yǒuyìsi.
他 的 电 影 很 有意思。

Tā de biǎoyǎn hǎo jí le.
他 的 表 演 好 极 了。

Chéng Lóng xiànzài shi Yàzhōu yǒumíng de yǎnyuán, yě shì guójì yǒumíng de yǎnyuán.
成 龙 现 在 是 亚 洲 有 名 的 演 员，也 是 国 际 有 名 的 演 员。

（四）朗读并翻译。
(1) 我今天听了他的音乐，他的音乐好极了。
(2) 她很漂亮，她现在是国际有名的演员。
(3) 因为我跟他一样喜欢看京剧，所以我天天跟他一起去剧院看表演。
(4) 他喜欢红色的，他的朋友喜欢白色的，他们喜欢的颜色不一样。

（五）看拼音写汉字
(1) Yīnwèi xià yǔ, suǒyǐ bú shàng tǐyùkè.

_____。

(2) Tā hěn yǒumíng, tā de jiémù hǎo jí le.

_____。

附：练习答案
练习5
(1) 因为下雨，所以不上体育课。
(2) 他很有名，他的节目好极了。

* 课堂活动建议
老师或学生带来照片，可以是电影明星，也可以是自己非常喜欢的人，向大家做介绍。

（一）形容词＋极了

这是一个固定格式，表示程度非常高。如：

大极了　　　　小极了

冷极了　　　　热极了

贵极了　　　　多极了

难极了　　　　便宜极了

好极了　　　　容易极了

干净极了　　　整齐极了

好看极了　　　漂亮极了

舒服极了　　　高兴极了

（二）"名词＋的"单独使用

我们在第一册第14课学过"代词／名词＋的＋名词"的用法，如"我的电脑"、"爸爸的房间"。如果"的"后的名词在前文已经提到或是大家共知的，可以省略，如：

这个电脑是我的。

那个房间是爸爸的。

其他例子如"亚洲的"、"英国的"、"中文的"。

在上面的句子里，"我的""爸爸的"单独使用，一般被称为"的"字词组，其作用相当于名词。"的"字除可以出现在名词、代词后构成"的"字词组外，也可以出现在形容词、动词的后边，构成"的"字词组，如：

我的运动服是红的。（形容词＋的）

打太极拳的是我爷爷。（动词词组＋的）

（三）因为……所以……

"因为"与"所以"连用，构成因果复句，表示原因和结果。其中主语可以在前，也可以在后，还可以前后都出现。如：

因为今天有课，所以我们明天去。

因为他感冒了，所以不来上课。

因为我喜欢中国，所以我学习汉语。

在口语使用中，"因为"和"所以"常常省去其中的一个。这我们将在以后的课中学到。如：

因为污染，地球的气温越来越高。

他生病了，所以不能来比赛。

（四） 左中右、上中下结构的汉字

合体字的构成除了前边介绍的左右结构、上下结构外，还有很多汉字是左中右结构或上中下结构。它们有的是均衡分布的，即左中右、上中下所占比例相等，如"树、街、脚、粥"（左中右结构）和"草、意、冀"（上中下结构）。有的分布是不均衡的，各部分所占比例不等，如"做、谢、难"（左中右结构）和"鱼、宫、票"（上中下结构）。

（五） 电影明星

电影是人们文化生活中不可缺少的一部分，中国的电影业也在不断地发展，特别是香港，素有"东方好莱坞"之称。在中国有很多演员，他们在国内非常受欢迎，有一些在国际上也有相当高的知名度，如巩俐、成龙，他们都称得上是国际巨星，为世界各国的观众所喜爱。他们的影片也都多次获得国际电影大奖，如巩俐的《大红灯笼高高挂》《秋菊打官司》等等。

Film Stars

Cinema is an essential part of our cultural life. China's film industry has developed continuously, especially in Hong Kong, which is often called the Hollywood of the East. There are many famous domestic actors, and some have even acquired international fame, such as Gong Li and Jackie Chan. They are truly international stars, and are loved and respected by fans all over the world. Their films have received many international prizes, for example: Raise the Red Lantern, The Story of Qiu Ju, etc.

第二十一课 你看广告没有

教学目标

交际话题：广告。

语言点：你看广告没有？

哪个好？

她没看手表的广告。

生　　词：手机　广告　地铁　收音机

中心　市中心　手表　没（有）

汉　　字：手　话　告　心　表

一、基本教学步骤及练习要点

（一）与学生讨论他们最喜欢的广告，让学生举例，说明广告的内容，广告出现的地点，引入本课话题，并学习生词。

（二）做练习1，朗读对话，学习生词的使用和主要表达方式：

（1）哪个＋形容词？

（2）动词＋宾语＋没有？

（三）做练习2，进一步熟悉生词的发音和意思。

（四）做练习3，听后判断，熟悉句型。

（五）做练习4，认读，可以让学生说出英文的意思。

（六）做练习5，先朗读，然后替换所给的词语，模仿做对话，训练词语和表达方式的使用。

（七）做练习6，认读短句并与英文进行搭配，进一步加强认读理解能力。

（八）做练习7，翻译，结合学过的内容和本课语言点，可以进一步让学生模仿造句，请其他同学翻译。

（九）根据学生水平，可选做教师用书中的练习。其中练习1帮助学生进一步熟悉词语；练习2进一步熟悉理解句式表达；练习3根据提示完成对话，可结合学过的词语丰富对话内容；练习4翻译并练习表达；练习5为汉字书写练习。

附：录音文本及练习答案

（一）练习2

（1）电视　　　　　（2）收音机　　　　　（3）手表

（4）手机　　　　　（5）自行车　　　　　（6）地铁

（7）市中心　　　　（8）广告

（二）练习3

(1) A：他有两个手机，哪个好？

B：红色的好，红色的比白色的漂亮。

白色的手机好。（×）

(2) A：市中心的广告和地铁里的广告，哪个漂亮？

B：市中心的广告漂亮。

市中心的广告比地铁里的广告漂亮。（√）

(3) A（男）：电视里有一个手表的广告，漂亮极了。

B（女）：什么广告？我没看。

她没看手表的广告。（√）

二、练习与课堂活动建议

* 练习

（一）把拼音写在相应的汉字旁。

guǎnggào	手表 ＿＿＿＿＿
shǒubiǎo	手机 ＿＿＿＿＿
diànnǎo	收音机 ＿＿＿＿＿
yùbào	市中心 ＿＿＿＿＿
shōuyīnjī	地铁 ＿＿＿＿＿
shìzhōngxīn	广告 ＿＿＿＿＿
shǒujī	电脑 ＿＿＿＿＿
dìtiě	预报 ＿＿＿＿＿

（二）把相应的中文和配图连在一起。

Wǒ zài shìzhōngxīn kànle yí ge diànnǎo de guǎnggào.
我在市中心看了一个电脑的广告。

Tā xǐhuan tīng shōuyīnjī, shōuyīnjī li yǒu yīnyuè.
他喜欢听收音机，收音机里有音乐。

Wǒ xiǎng mǎi shǒujī, nǎ ge hǎo?
我想买手机，哪个好？

Nǐ kàn tiānqì yùbào méi yǒu? Míngtiān tiānqì hǎo ma?
你看天气预报没有？明天天气好吗？

Shìzhōngxīn yǒu qìchē、 huǒchē, hái yǒu dìtiě.
市中心有汽车、火车，还有地铁。

（三）选词完成对话。

(1) A：Nǐ kàn tiānqì yùbào méiyǒu?
你看天气预报没有？

　　B：Wǒ kànle.
我看了。

　　A：Míngtiān tiānqì hǎo ma?
明天天气好吗？

　　B：_____。（xiǎo yǔ　qíngtiān　yǒu fēng 小雨　晴天　有风）

(2) A：Zhè shì Ōuzhōu diànyǐng, nà shì Yàzhōu diànyǐng.
这是欧洲电影，那是亚洲电影。

　　B：Nǎ ge hǎo?
哪个好？

　　A：_____。（Fǎguó de　Yàzhōu de　yǒumíng　yǒuyìsi 法国的　亚洲的　有名　有意思）

（四）看英文说出汉语，并回答。

(1) How many watches do you have? Which is the nicest?

(2) There are a lot of advertisements on TV. Which is most interesting?

(3) Do you listen to the radio everyday?

(4) Do you go to the city centre by underground?

(5) Did you watch the weather forecast? Is it going to rain tomorrow?

（五）看拼音写汉字。

(1) Shìzhōngxīn yǒu yí ge dà guǎnggào, hǎo jí le!

市_____！

(2) Wǒ yào mǎi shǒubiǎo hé diànhuà.

_____。

附：练习答案

练习5

(1) 市中心有一个大广告，好极了！

(2) 我要买手表和电话。

＊　课堂活动建议

每个学生为自己的一件用品设计一个广告，在教室里展示，然后大家可以就这些广告交谈，如："你看……广告没有？""哪个好？""哪个最漂亮？"最后评出最佳设计。

三、语言点与背景知识提示

（一）用"哪＋个＋形容词"提问

"哪"是疑问代词，我们在第一册学过用"哪＋量词＋名词"提问，如：

　　　你是哪国人？

　　　你喜欢哪件衣服？

本课出现的是用"哪＋个＋形容词"提问，提问的对象一般在上文中已经出现。如：

　　　我要买手机，哪个好？

　　　市中心的广告，哪个漂亮？

　　　历史考试和地理考试，哪个难？

（二）用"动词＋宾语＋没有"提问

用"动词＋宾语＋没有"提问是问动作是否实现或完成。肯定回答是"动词＋了＋宾语"，宾语可以省略；否定回答用"没有＋动词"，"没有"也可说成"没"。例句如下：

问句	肯定回答	否定回答
你看广告没有？	我看了广告。	我没有看广告。
他上体育课没有？	他上了体育课。	他没上体育课。
爸爸买了手机没有？	爸爸买了手机。	爸爸没买手机。

（三）"没有"和"没"

"没有"是一个词，可以理解为是用在动词后表示完成或实现的"了"的否定，相当于英语的"have not"。在用于陈述句时，口语中常常说"没"。例如：

　　　我看了广告。　→　我没有看广告。　→　我没看广告。

　　　他上了体育课。→　他没有上体育课。→　他没上体育课。

第七单元测验

1、听后选择。

Tāmen xǐhuan kàn shénme?
他们喜欢看什么?

	weather forecast	educational programme	news
妈妈			
爸爸			
我			

	advertisement	sports	Asian film	European film
妈妈				
爸爸				
我				

2、听录音判断正误。

Tāmen yào yìqǐ kàn bǐsài.
(1) 他们要一起看比赛。(   )

Zhè ge rén shì Ōuzhōu yǒumíng de yǎnyuán.
(2) 这个人是欧洲有名的演员。(   )

Mingming xiǎng qù shìzhōngxin.
(3) 明明想去市中心。(   )

Tā xǐhuan shìzhōngxin shǒujī de guǎnggào.
(4) 他喜欢市中心手机的广告。(   )

118

3、根据问题提示说一段话。

A.

(1) 你喜欢看电视 / 听收音机吗?

(2) 电视里 / 收音机里哪个节目好? 因为什么你喜欢这个节目?

(3) 每天什么时候有这个节目?

B.

(1) 你常常看电影吗? 你跟谁一起去?

(2) 你喜欢什么电影? 因为什么喜欢?

(3) 你喜欢哪个演员? 他有名吗?

C.

(1) 你喜欢看广告吗?

(2) 什么地方有广告? 哪个广告好?

4、阅读后选择正确答案填空。

电视节目	
教育节目	18:00
新　　闻	19:00
天气预报	19:30
广　　告	19:40
亚洲电影	19:50
体育节目	21:30
欧洲电影	23:00

什么时候开始?

Asian film	news	sports	advertisement	weather forecast

5、汉英对应。

(1) 哪个好？

(2) 贵极了

(3) 国际有名

(4) 喜欢看电影

(5) 好，我跟你一起去。

(6) 你听天气预报没有？

(7) 因为头疼，所以我不去比赛。

(8) 他不是亚洲的演员，他是欧洲的。

Did you listen to the weather forecast?

Ok, I will go with you.

I am not going to the competition because I have a headache.

extremely expensive

He is not an Asian actor. He is a European one.

like seeing films

Which one is better

world famous

6、写汉字。

(1) Nǐ měitiān kàn tiānqì yùbào hé tǐyù jiémù ma? Shénme shíhou

_____ 预 _____ 吗？_____ 候

kāishǐ?

___始？

(2) Yīnwèi shìzhōngxīn de guǎnggào hǎo jí le, suǒyǐ hěn duō rén mǎi

_____市 _____

guǎnggào shang de shǒubiǎo hé shǒujī.

_____。

7、翻译。

(1) 天气预报什么时候开始？因为我明天跟朋友一起去比赛，所以我要看。

(2) 这个手表是欧洲的，国际有名。那个是亚洲的，也漂亮极了。哪个好？我要买一个。

(3) 你看新闻没有？我没看，我看了教育节目，很有意思，我喜欢看这个节目，也喜欢听收音机里的教育节目。

(4) 因为他病了，所以没来上课，我们要去看他，你去吗？好，我跟你们一起去。

第七单元测验部分答案

1、听后选择。

(1) 妈妈天天看电视，她喜欢看天气预报和教育节目，还喜欢看欧洲电影。

(2) 爸爸天天听收音机，也每天看电视的新闻和体育节目，他不看广告。

(3) 我的爱好跟爸爸的爱好一样，我也喜欢看体育比赛节目，我还喜欢看亚洲和欧洲的电影。

答案：

	weather forecast	educational programme	news
妈妈	✓	✓	
爸爸			✓
我			✓

	advertisement	sports	Asian film	European film
妈妈				✓
爸爸		✓		
我		✓	✓	✓

2、听录音判断正误。

(1) A：今天的体育比赛什么时候开始？

B：晚上 7 点半。

A：我跟你一起看。

B：好。

(2) A：这个人是谁？

B：他是一个有名的演员。

A：他不是欧洲的吧？

B：他是亚洲的，他在亚洲有名极了。

(3) A：明明，我想去市中心，怎么去？

B：你坐地铁去吧。

A：你想跟我一起去吗？

B：因为我感冒了，所以我不想去。

(4) A：你看市中心的广告没有？

B：我看了，有很多广告。

A：哪个好？

B：手机的广告好，漂亮极了。

答案：

(1) ✓   (2) ×   (3) ×   (4) ✓

4、阅读后选择正确答案填空。

Asian film	news	sports	adrertisement	weather forecast
19:50	19:00	21:30	19:40	19:30

6、写汉字。

(1) 你每天看天气预报和体育节目吗？什么时候开始？

(2) 因为市中心的广告好极了，所以很多人买广告上的手表和手机。

第二十二课　我去过故宫

教学目标

交 际 话 题：谈旅行等活动的经历。

语 言 点：你去过故宫吗?

我去过故宫。

我没去过长城。

生 词：暑假　过　故宫　长城　台湾

埃及　伦敦　德国

汉 字：过　宫　城　台　美

 一、基本教学步骤及练习要点

（一）导入：问学生去过的地方，展示长城、故宫以及埃及、法国、德国、美国风光的明信片，并用汉语说出。

（二）领读生词表，熟悉地名。

（三）做练习1，领读后，可以采用边读边翻译的形式，引导学生了解对话和语段的基本意思。应提醒学生注意到这个练习中重现了以前学过的地名。

（四）做练习2，主要是为了熟悉地名。

（五）做练习3，这个练习包括了本课主要的句型，听的过程中可指导学生学习本课基本句型的结构和意义。

（六）讲解基本句型：

(1) 提问有没有某种经历

你去过故宫吗?

(2) 主语＋动词＋过＋宾语（肯定形式）

我去过故宫。

(3) 主语＋没（有）＋动词＋过＋宾语（否定形式）

我没（有）去过长城。

（七）做练习4，进一步学习基本句型。其中有两个表示经常性活动的句子，可以通过对比加深学生对新句型的理解。

（八）做练习5，学习在交际中运用本课的基本句型。课本中用不同颜色表示出了可替换的部分。完成课本的内容后，可以鼓励学生用学过的词语自由表达。

（九）做练习6，让学生通过填空练习理解基本句型，并训练认读能力。

（十）做练习7，通过朗读和翻译训练巩固本课语言学习内容，并复习以前学过的词语和句型。

（十一）做练习9，这个发音练习的材料是一首中国古诗，作者是唐代的王之焕。

（十二）根据学生的水平，选做一些教师用书中的练习。

（1）练习1进一步熟悉本课主要词语的形音义。

（2）练习2通过汉语英语句子的对应，掌握本课句型。

（3）练习3要求学生在认读理解的基础上作出判断。

（4）练习4是说话训练，在动词选用上有一些扩展，引导学生灵活运用所学的句型。

（5）练习5结合句子表达练习汉字的书写。

（6）练习6是认读和翻译的综合训练，结合复习学过的词语和句型，难度比学生课本中的练习有所增加。

附：录音文本练习答案

（一）练习2

（1）台湾　　（2）德国　　（3）长城　（4）法国　（5）故宫

（6）埃及　　（7）加拿大　（8）美国　（9）伦敦　（10）天安门广场

答案：

2	9	1	10	7
8	4	5	3	6

（二）练习3

（1）我叫明明，我去过上海，我没去过广州。

（2）我叫小红，我去过北京，我没去过台湾。

（3）我叫小海，我去过加拿大，我没去过埃及。

（4）我叫丽丽，我去过美国，我没去过德国。

（5）我叫Mike，我去过香港，我没去过北京。

答案：

Name	I have been to___	I have not been to__
Míngming	I	B
Xiǎohóng	H	D
Xiǎohǎi	F	E
Lìli	C	J
Mike	G	H

124

二、练习与课堂活动建议

* 练习

（一）汉字、拼音对应英语。

(1) 暑假	Měiguó	The Imperial Palace
(2) 故宫	shǔjià	U.S.A
(3) 长城	Gùgōng	London
(4) 台湾	(9)Xiānggǎng	summer holidays
(5) 埃及	Táiwān	Taiwan
(6) 伦敦	Āijí	the Great Wall
(7) 德国	Chángchéng	(9)Hong Kong
(8) 美国	Lúndūn	Egypt
(9) 香港	Déguó	Germany

（二）汉语拼音对应英语。

(1) Tā méi qùguo Gùgōng.	I have been to the Great Wall.
(2) Māma měitiān hē Zhōngguó chá.	He has not been to the Imperial palace.
(3) Tā chángcháng dǎ pīngpāngqiú.	She studies calligraphy everyday.
(4) Wǒ de péngyou kànguo Zhōngwén shū.	Mummy drinks Chinese tea every day.
(5) Wǒ qùguo Chángchéng.	I have seen Chinese films.
(6) Tā tiāntiān xué shūfǎ.	He often plays table tennis.
(7) Wǒ kànguo Zhōngguó diànyǐng.	My friend has read Chinese books.

（三）判断对错。

bù xǐhuan dǎ yǔmáoqiú,　　　tā méi dǎguo yǔmáoqiú.
(1) Mike不喜欢打羽毛球，他没打过羽毛球。

Xiǎohǎi qùguo Fǎguó,　　　tā méi qùguo Déguó.
(2) 小海去过法国，他没去过德国。

(3)
Mā ma měitiān hē zhōngguó chá, tā bù hē kāfēi.
妈妈 每天 喝 中国茶， 她 不 喝 咖啡。

(4)
Xiǎohóng chángcháng dǎ pīngpāngqiú, tā méi dǎguo wǎngqiú.
小红 常 常 打 乒乓球， 她 没 打 过 网球。

(5)
Jiějie méi qùguo Lúndūn, tā xiǎng qù Lúndūn.
姐姐 没 去 过 伦敦， 她 想 去 伦敦。

(6)
Gēge xǐhuan tī zúqiú, tā měitiān tī zúqiú.
哥哥 喜欢 踢 足球， 他 每天 踢 足球。

（四）模仿范例说句子。

(1) 我去过中国。(Germany/ U.S.A/France)

(2) 我没去过广州。(London/HongKong/Egypt)

(3) 我学习过汉语。(French/German/English)

(4) 我打过网球。(table tennis/badminton/basketball)

（五）根据拼音写汉字。

(1) Zhōngguó zài Yàzhōu.

_____ 亚 洲。

(2) Yīngguó zài Ōuzhōu.

英 _____ 欧 洲。

(3) Fǎguó yě zài Ōuzhōu.

_____ 欧 洲。

（六）翻译。

（1）我没去过北京，秋天是北京最好的季节，我想今年秋天去中国。现在我每天学汉语，我想在北京说汉语。

（2）明明是我的朋友。他是中国人，他家在北京，他去过长城和故宫。明明来过英国，他的爸爸妈妈没来过英国，他们想春天来英国。

附：练习答案

（一）练习3

×	×	✓	✓	×	✓

（二）练习5

（1）中国在亚洲。

（2）英国在欧洲。

（3）法国也在欧洲。

＊ 课堂活动建议

在墙上展示出一张北京交通图，上面有主要的旅游点，用汉语拼音标出。让学生制作一些北京各旅游点的门票，然后大家抽签，每人抽2-3张，最后每人根据抽签结果，指着交通图向大家说明自己去过什么地方。

三、语言点与背景知识提示

（一）主语＋动词＋过＋宾语

"动词＋过（＋宾语）"表示有某种经历，只能用于过去发生的事情。基本句型是：主语＋动词＋过＋宾语，如：

我去过天安门。

我看过京剧。

我以前见过这个人。

否定形式是主语＋没（有）＋动词＋过＋宾语，如：

他没（有）喝过中国茶。

我没（有）吃过这种奶酪。

我们没（有）去过西藏。

问别人有没有某种经历，可以用以下形式：

主语＋动词＋过＋宾语＋吗?

你看过中国电影吗?

你来过这个地方吗?

你给她打过电话吗?

（二）长城

长城，全长一万二千多里，是世界上最伟大的建筑之一。一九九八年，八达岭长城被联合国列为世界人类文化遗产。

长城是中华民族的象征，它始建于秦始皇时期，经过历代的增补修筑，现在我们能看到的长城几乎都是明代所建。北京八达岭长城是明长城中保存最好的一段，也是最具代表性的一段，是中国古建筑的精华。八达岭长城在北京北部，距离北京市区七十多公里。

The Great Wall

The Great Wall, with a length of 12,000 miles, is one of the greatest pieces of architecture in the world. The Great Wall of Badaling was listed as a UNESCO world heritage site by the UN in 1988 .

The Great Wall symbolizes Chinese nationality. It was begun in the period of Qin Shi Huang (the first emperor of China), and rebuilt and repaired in each subsequent dynasty. What we can see now of the Great Wall is built almost entirely in the Ming Dynasty. The most integrated and representative part of the wall is at Badaling. The wall is also the best example of ancient Chinese architecture. The Great Wall at Badaling is north of Beijing, seventy miles away from the centre of town.

（三）故宫

故宫又称紫禁城，位于北京城区中心，是明、清两代的皇宫，为中国现存最大、最完整的古建筑群。故宫占地72万多平方米，共有房子九千多间，都是木结构、黄琉璃瓦顶、青白石底座，饰以金碧辉煌的彩画。这些宫殿是沿着一条南北向中轴线排列，并向两旁展开，南北取直、左右对称、气魄宏伟，极为壮观。

故宫里最吸引人的建筑是三座大殿：太和殿、中和殿和保和殿。它们都建在汉白玉砌成的八米高的台基上，金碧辉煌，庄严绚丽。

故宫博物院藏有大量珍贵文物，据统计总共达1052653件之多，统称有文物一百万件，其中有很多是绝无仅有的国宝。在故宫的几个宫殿中分别设立了历代艺术馆、珍宝馆、钟表馆等，供游人观赏。

The Forbidden City

The Forbidden City is the imperial palace of the Ming Dynasty and Qing Dynasty. It is the largest and most complete group of ancient Chinese buildings in China. Located in the center of Beijing City, the Forbidden City occupies 720,000 Square meters and contains more than 9000 halls. All of the halls in the Forbidden City are wooden structures built on white stone platforms. Most of them are roofed with yellow tiles and decorated with magnificent colour paintings. The Forbidden City runs along a central north-south axis and extends to the west as well as east. Its perfect symmetry and matchless grandiosity make for a spectacular view.

The most attractive halls in the Forbidden City are Taihedian (Supreme Harmony Hall), Zhonghedian (Central Harmony Hall), and Baohedian (Protecting Harmony Hall). They are built on 8-metre pure white stone platforms, flourishing with splendor and grandeur.

The Forbidden City Museum has preserved countless precious antiques, totalling 1,052, 653. There are many unique national treasures among them. An Exhibition of Arts of China in Different Eras, an Exhibition of Treasures and an Exhibition of Horology are located in several of the halls so that visitors can appreciate the charm of these antiques.

第二十三课　广州比北京热得多

教学目标

交 际 话 题：谈某地的地理情况。

语 言 点：广州比北京热得多。

夏天热得不得了。

生 词：地图　夏天　冬天　海滩
风景　远　近　得　不得了

汉 字：夏　海　远　近　得

 一、基本教学步骤及练习要点

（一）导入

（1）复习比较句型：A 比 B＋形容词＋一点儿，引导学生说出"A 比 B 热／冷一点儿"，并用英语表达"热／冷得多"，提示将学习用汉语表达二者的差别。

（2）复习"形容词＋极了"，提示有另一种表示程度很高的方式"形容词＋不得了"。

（二）领读生词表，熟悉词语的发音和意义。

（三）做练习1，训练朗读时，教师翻译每个句子的意思。

（四）做练习2，熟悉一些相关词组的发音和意义。

（五）做练习3，练习中包含一些本课的生词和句型，要求学生听句子并判断出意思。

（六）指导学生理解本课的语言点：

A 比 B＋形容词＋得多

广州比北京热得多。

飞机场比火车站远得多。

形容词＋得＋不得了

夏天热得不得了。

作业多得不得了。

（七）做练习4，练习发音并熟悉句型"A 比 B＋形容词＋得多"。

（八）做练习5，练习口头表达，通过替换词语的对话练习，训练学生灵活运用语言的能力，并复习所学的词语。

（九）做练习6，熟悉句型"形容词＋得＋不得了"的用法。

（十）做练习7，通过翻译训练进一步掌握本课语言学习内容，并复习学过的词语和句型。

（十一）根据学生的水平，选择一些教师用书中的练习。

（1）练习1帮助熟悉本课主要词语的形音义。

（2）练习2 通过组成句子的练习，练习本课的两个基本句型。也可以要求学生组句后再翻译，教师可以根据具体情况处理。

（3）练习3 、练习4是认读和翻译的训练，可以让学生两人一组进行，各自做出判断后，互相比较。

（4）练习5 结合句子表达练习汉字的书写。

（5）练习6综合了以前的一些内容，可以起到巩固和复习的作用。可以根据学生水平，鼓励他们模仿这些段落，口头表达自己的假期计划。

附：录音文本与练习答案

（1）漂亮的风景　　（2）我们在海滩　　（3）北京的冬天　　（4）中国地图

（5）英国地图　　（6）热得不得了　　（7）冷得不得了　　（8）北京的夏天

答案：

4	6	3	8
5	2	7	1

（二）练习3

（1）我是小红，我在海滩看风景。海滩的风景很漂亮。

（2）我是Tom，我在北京饭店，离天安门广场不远。

（3）我是Ann，我在火车站，火车站的人多得不得了。

（4）我是小海，我暑假去上海。上海不远，我坐火车去。

（5）我是Mike，我在长城。长城的风景漂亮极了。

答案：

(1) Xiaohong is swimming in the sea. ×

(2) Beijing Hotel is not far from Tiananmen Square. ✓

(3) There are many people in the railway station. ✓

(4) Xiaohai is going to Shanghai by plane. ×

(5) Mike is in a beautiful city in France. ×

（三）练习6

（1）飞机场远得不得了。

（2）图书馆的书多得不得了。

（3）他们的表演好得不得了。

（4）今天的作业比昨天的作业难得多。

（5）今天比昨天热得多。

（6）这件衣服比那件衣服贵得多。

* 练习

（一）对应汉字、拼音和英语。

(1) 冬天	xiàtiān	far
(2) 地图	bùdéliǎo	beach
(3) 不得了	hǎitān	map
(4) 夏天	dōngtiān(1)	scenery
(5) 海滩	dìtú	summer
(6) 近	yuǎn	extreme
(7) 风景	jìn	near
(8) 远	fēngjǐng	winter(1)

（二）把左右两部分组成完整的句子。

(1) Chángchéng bǐ Tiān'ānmén Guǎngchǎng
　　长城比天安门广场

(2) qìchēzhàn bǐ fēijīchǎng
　　汽车站比飞机场

(3) jīntiān de zuòyè
　　今天的作业

(4) túshūguǎn li de shū
　　图书馆里的书

(5) jīntiān de tiānqì
　　今天的天气

(6) Běijīng bǐ Guǎngzhōu
　　北京比广州

nán de bùdéliǎo
难得不得了

rè de bùdéliǎo
热得不得了

jì de duō
近得多

dà de duō
大得多

duō de bù dé liǎo
多得不得了

yuǎn de duō
远得多

（三）朗读句子。

(1) 爸爸比我高得多。

(2) 今天冷得不得了。

(3) 地理考试难得不得了。

(4) 运动场大得不得了。

(5) 这件衣服比那件贵得多。

‾183.00‾ ‾56.50‾

（四）汉英对应。

(1) 这个房间比那个房间大得多。	（ C ）
(2) 今天比昨天冷得多。	（ ）
(3) 电脑比电视贵得多。	（ ）
(4) 今天的作业难得不得了。	（ ）
(5) 夏天热得不得了。	（ ）
(6) 男学生比女学生多。	（ ）

A. It's extremely hot in summer.
B. Computer is much more expensive than TV.
C. This room is much bigger than that one.
D. There are more male students than female students.
E. It's much colder today than yesterday.
F. Today's homework is extremely difficult.

（五）根据拼音写汉字。

（1）Wǒ xiàtiān yào qù Běijīng.

_____。

（2）Huǒchēzhàn bǐ fēijīchǎng jìn de duō.

_____ 站 _____ 场 _____。

（六）翻译。

（1）我是一个中国学生，我家在北京。我去过亚洲很多地方，我没去过欧洲。夏天我和妈妈准备去伦敦，我想去伦敦的很多地方。

（2）我姐姐暑假要去香港，香港比伦敦近得多。姐姐去过英国，她的英语很好。现在我每天学习英语，上英语课、看英文书，也跟朋友说英语。

附：练习答案

（一）练习2

（1）长城比天安门广场远得多。

（2）汽车站比飞机场近得多。

（3）今天的作业难得不得了。

（4）图书馆里的书多得不得了。

（5）今天的天气热得不得了。

（6）北京比广州大得多。

（二）练习3

（1）×　　　　（2）×　　　　（3）√　　　　（4）√　　　　（5）×

（三）练习5

（1）我夏天要去北京。

（2）火车站比飞机场近得多。

* 课堂活动建议

（一）小组竞赛活动。准备一幅中国地图，让学生用插小旗的方式把自己知道的城市或地区的名字填写上去，不同的小组用不同颜色的小旗作为标记。鼓励学生自己查找资料，了解中国的地名和位置。插小旗多的小组为胜者。

（二）当个小"中国通"。鼓励学生可以通过网络获得信息，准备一个关于中国情况的报告，介绍中国某个城市或地区的位置、气候、特产、名胜古迹、名人等。

 三、语言点与背景知识提示

（一）A 比 B＋形容词＋得多

用"比"的比较句中，在形容词后面可以加"一点儿""一些""得多"表示二者差别的程度大小。在本册第9课我们学习了"A比B+形容词＋一点儿"，表示比较的双方差别不太大。如：

今天比昨天冷一点儿。

这件衣服比那件衣服便宜一点儿。

这本书比那本书难一点儿。

本课的句型"A比B+形容词＋得多"表示比较的双方差别很大。如：

我们班的学生比他们班（的学生）多得多。

这个体育馆比那个（体育馆）大得多。

这个花园比那个（花园）漂亮得多。

（二）形容词＋得＋不得了

"不得了"用在"形容词＋得"后面表示程度很深，与本册第20课"形容词＋极了"表达的意思相似，但"不得了"的口语色彩更浓。例如：

今天冷得不得了。

我的行李重得不得了。

大家高兴得不得了。

妈妈急得不得了。

（三）中国的面积、人口和气候

中国的首都是北京。中国陆地面积九百六十万平方千米。人口十二亿多，有五十六个民族，汉族占人口总数的百分之九十二。中国地势西高东低，气候复杂多样，全国从西北到东南，跨寒、温、热等不同的气候带。大部分地区属温带、亚热带季风气候，四季分明、冬冷夏热。

Area, Population and Climate of China

China has an area of 9,600,000 square kilometers and a 16,500-kilometer coastline. Its capital is Beijing. The population of China is 1.234 billion, and there are 56 ethnic groups, 92 per cent of the total population are Han People. The topography of China is remarkably varied but essentially it is high in the west and low lying in the east. The climate varies greatly too. From northwest to southeast, the whole country has a cold-temperate belt, temperate belt, and tropical belt. But most of the country lies in the temperate belt and has a subtropical climate with monsoon. The four seasons are clearly separated, and it is cold in the winter and hot in the summer.

第二十四课　吃月饼，看月亮

教学目标

交际话题： 谈节日。

语言点： 你吃月饼不吃？

你不吃月饼吗？

我们除了吃月饼，还吃水果。

生　词： 中秋节　月饼　月亮　端午节

粽子　龙舟　除了　吃了

汉　字： 秋　午　龙　饼　除

 一、基本教学步骤及练习要点

（一）导入：启发学生谈自己喜欢的节日，问学生是否知道中国的节日。通过领读生词，说明两个中国传统节日的名称、食品和活动。

（二）做练习1，通过朗读让学生熟悉本课的词语和句型。这个练习的小语段介绍了两个传统节日，教师可一边领读，一边翻译，让学生了解意思。

（三）做练习2，让学生熟悉节日名称、节日食品和节日活动。

（四）讲解本课学习的两种提问方式：

主语＋动词＋宾语＋不＋动词？例如：

你吃月饼不吃？

你去商店不去？

主语＋不＋动词＋宾语＋吗？例如：

你不看电影吗？

你不打乒乓球吗？

（五）做练习3，熟悉上述两种提问方式。

（六）讲解句型 "除了……还……"

我除了学习汉语，还学习法语。

端午节除了吃粽子，还看龙舟。

（七）做练习4，掌握上述句型。

（八）做练习5，可分组进行，先朗读，再用提示的词语对话。可以鼓励学生尝试自由表达。

（九）做练习6，通过英汉对应进一步掌握本课句型。

（十）做练习7，通过翻译练习掌握基本句型，并复习学过的语言点。

（十一）根据学生的水平，选做一些教师用书中的练习。

(1) 练习1、练习2是巩固本课词语的汉字和拼音、汉语和英语的对应关系。

(2) 练习3是认读和说话的综合练习，要求学生先通过朗读，理解问句的意思，再利用本课学习的句型和词语进行口头交际活动。

(3) 练习4的汉字书写练习是写较长的句子，有一定的难度，鼓励学生查找学过的汉字，教师可通过翻译句子给予提示。

(4) 练习5的翻译练习在100字以上，有一定的难度。可以先进行朗读训练，再鼓励学生尝试完成。

附： 录音文本和答案

（一）练习2

(1) 中秋节	(2) 喝茶	(3) 吃月饼	(4) 吃水果

(5) 看月亮　　　(6) 吃粽子　　　(7) 龙舟比赛　　　(8) 回家看爸爸妈妈

答案：

7	4	5	1
3	6	8	2

（二）练习3

(1) A：小红，你去图书馆不去？

　　B：我不去图书馆，我去商店买月饼。

(2) A：妈妈，你喝茶不喝？

　　B：我不喝茶，我想喝咖啡。

(3) A：小海，你看电影不看？

　　B：我看，我喜欢看电影。

(4) A：Mike，明天星期六，你不去体育馆吗？

　　B：我去，我去体育馆打乒乓球。

(5) A：丽丽，你不吃月饼吗？

　　B：我吃，谢谢。

答案：(1) √　(2) ×　(3) √　(4) √　(5) ×

二、练习与课堂活动建议

* 练习

（一）给词语注拼音。

中秋节	端午节	龙舟	粽子	月饼
月亮	除了	水果	好吃	中国茶

（二）对应汉字、拼音和英语。

(1) 中秋节	yuèliang	the Dragon Boat Festival
(2) 月饼	chúle	the Mid-Autumn Festival (1)
(3) 月亮	zòngzi	moon cake
(4) 端午节	yuèbing	besides
(5) 粽子	Duānwǔjié	rice dumplings
(6) 龙舟	Zhōngqiūjié (1)	dragon boat
(7) 除了	lóngzhōu	moon

（三）两人一组，朗读下列问句并仿照范例回答。

你喝茶不喝？	我喝（茶）。	我不喝茶，我喝咖啡。
你去图书馆不去？		
你看龙舟不看？		
你打网球不打？		
你不打篮球吗？	我打（篮球）。	我不打篮球，我打羽毛球。
你不吃月饼吗？		
你不看电影吗？		
你不说法语吗？		

（四）根据拼音写汉字。

(1) Zhōngqiūjié Zhōngguórén chī yuèbing.

_____。

(2) Wǒ chúle xuéxí shūfǎ, hái xuéxí tàijíquán.

_____，_____太极拳。

（五）朗读并翻译。

我叫Mary，我今年在北京学习汉语。今天是中国的中秋节。我去了小红家。小红是我的中国朋友，她家有爸爸、妈妈和爷爷、奶奶。小红的爷爷奶奶不会说英语，我在她家说汉语。我没吃过月饼，今天在小红家吃了很多月饼，月饼真好吃！我九点坐汽车回学校。

附：练习答案

练习4

(1) 中秋节中国人吃月饼。

(2) 我除了学习书法，还学习太极拳。

 三、语言点与背景知识提示

＊ 课堂活动建议

小组活动：鼓励分组，通过查找资料、询问中国人等方式，了解更多的中国节日的名称、时间、节日食品和活动。也可以找一些西方节日和节日食品的汉语名称。

（一）用"动词＋宾语＋不＋动词"提问

本册第23课学习了用"动词＋不＋动词"提问的形式，如：

你打不打乒乓球？

你看不看中国电影？

本课学习的句型与上述句型语义和功能都很相似，只是结构上略有变化：宾语不放在第二个动词后，而是放在第一个动词后，基本形式是：

主语＋动词＋宾语＋不＋动词？

你去香港不去？

你吃饭不吃？

这两种形式相对来说，前一种运用得较为普遍；后一种形式，则语气上显得更为随意，口语色彩更浓。

（二）用"不＋动词＋宾语 ＋ 吗"提问

第一册第19课学习了用"动词＋宾语＋吗"提问的句型，如：

你上网吗？

你打网球吗？

本课学习的提问形式与上述句型相似，只是动词前用了否定副词"不"，基本形式是："主语＋不＋动词＋宾语 ＋ 吗？"

你不看电影吗？

你不看他们的演出吗？

你不看球赛吗？

两种句型语义相似，只是语用上有细微的区别：前一种形式是一般的提问；后一形式一般用在对方看上去没有或没打算做某事的时候，带有建议对方去做的语气。

（三）除了……还……

"除了……还……"表示在前面部分提到的内容之外，另有增加补充的内容。如：

我除了会说汉语，还会说英语和日语。

他除了去过亚洲，还去过欧洲和非洲。

端午节人们除了吃粽子，还要赛龙舟。

（四）包围结构的汉字

包围结构的汉字由内外两部分组成，书写时要注意外旁要包住内旁。包围结构的字可大致分为半包围和全包围两种情况。

半包围，如"这、句、医、网、用、问"等，虽然不用封口，但内旁不能露出框外。

全包围，如"圆、国、因、目、日"等。笔顺是先写外框的三面，再写内旁，最后封口。

（五）中秋节

每年农历八月十五，是中国传统的中秋节。这时是一年中秋季的中期，所以被称为中秋。八月十五的月亮比其他几个月的满月更圆，更明亮，人们仰望天空朗朗明月，自然会期盼家人团聚，所以中秋又称"团圆节"。

在唐代，中秋赏月颇为盛行。宋代，民间以月饼相赠，取团圆之义。明清以来，中秋节的风俗盛行。在现代，月下游玩的习俗虽没有以前盛行，但设宴赏月的风俗仍很盛行。人们饮酒、吃月饼、赏月，庆贺美好的生活，并祝远方的亲人、朋友健康快乐。

Mid-Autumn Festival

The fifteenth day of the eighth lunar month is the Mid-Autumn Festival, which is an important traditional festival celebrated annually in China. The festival is approximately in the middle of autumn, and is therefore called the Mid-Autumn festival. The full moon on this day is rounder and brighter than that of other months. Looking up at the bright moon in the sky, people cannot help thinking of their families. So this festival is also sometimes called Reunion Festival.

In the Tang Dynasty, it was very common to enjoy the beauty of the moon at Mid-Autumn festival. In the Song Dynasty, people exchanged mooncakes to express their hope of reunion. Since the Ming Dynasty and the Qing Dynasty, celebrating Mid-Autumn Festival has been more and more popular. Nowadays, though playing and walking under the moonlight is not as popular as before, feasting and worshiping the moon are still popular. Nowadays, people drink wine, eat mooncakes, make offers to the moon, celebrate their lives and pray for health and happiness for their families and friends.

（六）端午节

农历五月初五，是中国民间的传统节日——端午节。端午也称端阳节。过端午节，是中国人两千多年来的传统习惯，各地也有着不尽相同的习俗。其内容主要有：女儿回娘家，佩香囊，赛龙舟，比武，击球，荡秋千，吃咸蛋、粽子和时令鲜果等。

赛龙舟是端午节的主要活动。相传起源于古时楚国人因舍不得爱国诗人屈原投江死去，许多人划船追赶。之后每年农历五月划龙舟纪念。借划龙舟驱散江中之鱼，以免鱼吃掉屈原的身体。如今赛龙舟等活动已得到新的发展，突破了时间、地域界限，成为了国际性的体育赛事。

Dragon Boat Festival

The fifth day of the fifth lunar month is the Dragon Boat Festival (Duanwujie), which is another traditional festival in China. The Dragon Boat Festival is also called the Festival of the Sun's highpoint.Celebrating the Dragon Boat Festival has been a custom for more than 2000 years, through, as a festival it is not celebrated throughout the country in exactly the same way by people in different areas. The main activities on this day are wearing a perfumed pouch, holding boat races and martial arts competitions, playing a special ball game and eating salty egg and fresh fruits of the season. Some married women visit their parents on this day.

The Dragon Boat Race is the most important activity during this festival. It is said that this custom originated in the Chu Kingdom of ancient China. A famous patriotic poet in Chu, Qu Yuan, drowned himself after his country was defeated by his enemies. People in Chu rowed their boats to try and save him, but the poet died in spite of their efforts. From that time, people held an annual boat race to commemorate him. They hoped that their boating could disperse fishes in the river so that the body of Qu Yuan would not be eaten. Nowadays, activities including the Dragon Boat Race have enjoyed new developments. Breaking through the barriers of time and borders, they have become international games.

第八单元测验

1、听后选择正确答案。

(1) Xiaohai has been to _
   A. Guangzhou   B.Beijing   C.Shanghai

(2) Where is hotter in summer _
   A.London   B.Hong Kong   C.Beijing

(3) This place in winter is _
   A. very cold   B.not very cold   C.very warm

(4) The airport is _
   A. a little far   B.very near   C.very far

(5) Xiaohong likes _
   A.coffee   B.tea   C.fruit juice

(6) Mingming will go to see dragon boat in_
   A.the Mid-Autumn Festival   B.the Dragon Boat Festival
   C.His mother's birthday

(7) Mike will go to _
   A.the Imperial Palace   B.the Great Wall
   C.The Great wall and the Imperial Palace

(8) Tom will go to Germany and France in _
   A.winter   B.spring   C.summer

2、根据提示的句型看图说话。

(1) 中秋节我们除了_____，还_____。

端午节我们除了_____，还_____。

我除了去过_____，还去过_____。

我今年暑假除了去_____，还要去_____。

(2)

 明明热

例：明明热得不得了。

 长城远

 月饼好吃

 手表贵

¥:1000.

3、 给下列词语配上拼音。

   (1) 长城和故宫　　　　a. yuèbǐng hé zòngzi
   (2) 月饼和粽子　　　　b. xiàtiān rè
   (3) 美国和德国　　　　c. Duānwǔjié
   (4) 暑假去海滩　　　　d. Zhōngqiūjié
   (5) 中秋节　　　　　　e. shǔjià qù hǎitān
   (6) 端午节　　　　　　f. dōngtiān lěng
   (7) 夏天热　　　　　　g. Měiguó hé Déguó
   (8) 冬天冷　　　　　　h. Chángchéng hé Gùgōng

4、给问题找到相应的回答。

问题：

(1) 你看龙舟表演不看？

(2) 哥哥去过德国吗？

(3) 你妈妈不去海滩吗？

(4) 这个地方冬天冷不冷？

(5) 你喝咖啡不喝？

(6) 飞机场远不远？

(7) 你妹妹不打网球吗？

(8) 你今天除了去运动场，还去什么地方？

答案：

a. 他没去过。

b. 她不想去。

c. 我还去图书馆。

d. 飞机场比火车站远得多。

e. 谢谢，我不喝。

f. 这个地方的冬天冷得不得了。

g. 她不打网球，她想打乒乓球。

h. 我看，我很喜欢看。

5、模仿范例把下列句子变为问句。

喝茶

例：你喝茶不喝？

你不喝茶吗？

吃月饼　　　　　打网球

去长城　　　　　看龙舟比赛

6、根据拼音写汉字。

(1) Shànghǎi bǐ Běijīng jìn de duō.

_____。

144

(2) Wǒ de xuéxiào bǐ tā de xuéxiào　yuǎn de duō.

_____ 。

(3) Wǒ qùguo Gùgōng, tā　qùguo Chángchéng.

_____ 故 _____。

(4) Wǒmen　Zhōngqiūjié chúle chī yuèbǐng , hái chī shuǐguǒ.

_____节 _____。

7、翻译。

(1) 我去过香港，没去过台湾，今年暑假我和妈妈去了台湾。台湾比北京热得多。

(2) 中国人端午节除了吃粽子，还看龙舟。我和爸爸妈妈一起去看龙舟比赛，我们学校的很多学生在湖边看比赛。

(3) 我喜欢夏天，不喜欢冬天。冬天冷得不得了。夏天比冬天有意思得多，我们常常去游泳，也在海滩看风景。

第八单元测验部分答案

1、听后选择正确答案。

(1) A 小海，你去过中国的什么地方？

B 我去过广州，我没去过上海。

(2) A 香港夏天热不热？

B 香港夏天比伦敦和北京热得多。

(3) A 这个地方冬天冷不冷？

B 这个地方冬天冷得不得了。

(4) A 飞机场远不远？

B 飞机场远得不得了。

(5) A 小红，你喝茶不喝？

B 我不喝，我喜欢喝咖啡。

(6) A 明明，今天端午节，你不去看龙舟吗？

B 我去看龙舟。我跟妈妈一起去。

(7) A Mike，星期六你去哪儿？

   B 我除了去长城，还去故宫。

(8) A Tom，暑假你去哪儿？

   B 我去德国和法国。

答案：

   (1) A   (2) B   (3) A   (4) C   (5) A   (6) B   (7) C   (8) C

3、给下列词语配上拼音。

   (1) h   (2) a   (3) g   (4) e   (5) d   (6) c   (7) b   (8) f

4、给问题找到相应的回答。

   (1) h   (2) a   (3) b   (4) f   (5) e   (6) d   (7) g   (8) c

6、根据拼音写汉字。

   (1) 上海比北京近得多。

   (2) 我的学校比他的学校远得多。

   (3) 我去过故宫，他去过长城。

   (4) 我们中秋节除了吃月饼，还吃水果。

发 5画 fā 2—04

的 8画 de 2—04

沙 7画 shā 2—04

河 7画 jiān 2—04

对 5画 duì 2—05

重 9画 nán 2—05

边 5画 biān 2—05

冬 5画 dōng 2—05

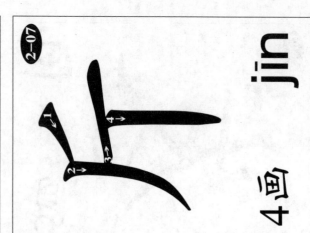
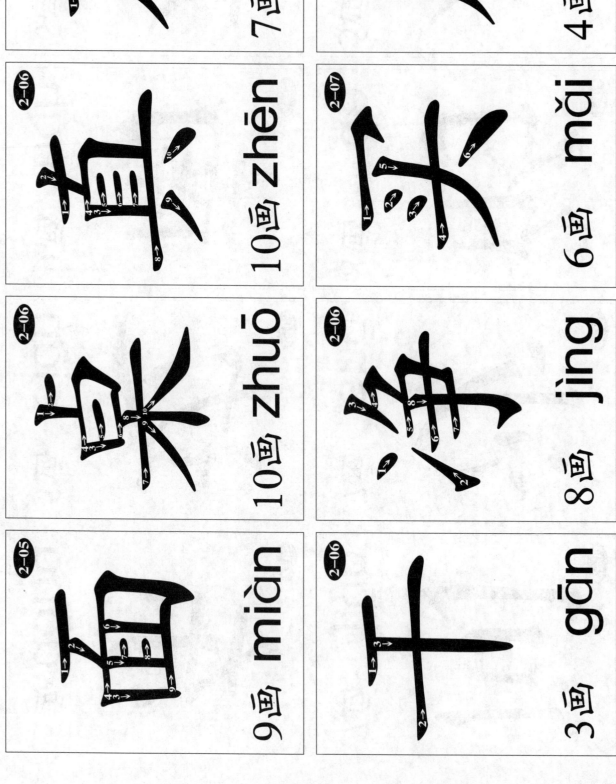

2-06　花　huā　7画

2-07　斤　jīn　4画

2-06　重　zhěn　10画

2-07　买　mǎi　6画

2-06　桌　zhuō　10画

2-06　静　jìng　8画

2-05　面　miàn　9画

2-06　干　gān　3画

行 6画 xíng

自 6画 zì

件 6画 jiàn

衣 6画 yī

地 6画 dì

攻 5画 shǐ

历 4画 lì

样 10画 yàng

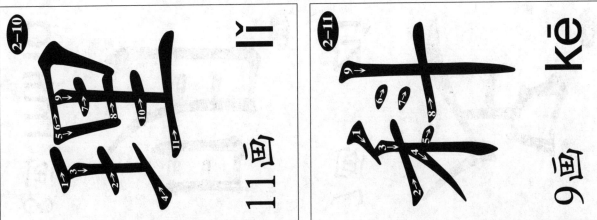

2-12 15画 tí

2-12 7画 lái

2-12 4画 máo

2-12 7画 zú

2-13 4画 fēng

2-13 9画 chūn

2-13 8画 yǔ

2-13 8画 míng

2-14 跑 12画 pǎo

2-15 头 5画 tóu

2-14 太 4画 tài

2-15 瓶 10画 bìng

2-14 草 9画 cǎo

2-14 奶 5画 nǎi

2-13 嘴 12画 zuǐ

2-14 园 7画 yuán

红 6画 hóng 2-16

动 6画 dòng 2-16

服 8画 fú 2-15

运 7画 yùn 2-16

旺 7画 dù 2-15

新 6画 xīn 2-16

滕 10画 téng 2-15

色 6画 sè 2-16

2-17　6画　xīng

2-18　4画　dīng

2-17　6画　lǎo

2-18　7画　kuài

2-17　11画　piǎo

2-18　6画　huí

2-17　11画　chàng

2-17　10画　jù

2-20 级 jí 7画

2-20 以 yǐ 4画

2-20 所 suǒ 8画

2-20 为 wèi 4画

2-21 表 biǎo 8画

2-21 话 huà 8画

2-21 手 shǒu 4画

2-21 告 gào 7画

秋 qiū 9画

除 chú 9画

得 dé 11画

饼 bǐng 9画

近 jìn 7画

龙 lóng 5画

远 yuǎn 7画

午 wǔ 4画